SVERIGEBOKEN

Kiruna
Luleå
Umeå
Örnsköldsvik
Östersund
Sundsvall
Mora
Falun
Gävle
SVERIGE
Stockholm
Göteborg
Jönköping
Gotland
Öland
Malmö
Simrishamn

Bobby Andström

SVERIGEBOKEN

med text på svenska, engelska, tyska och franska

Engelsk text: Vanessa Clare *Fransk text: Ingrid Pleyber* *Tysk text: Grit Thunemann*

NATUR OCH KULTUR/LTs FÖRLAG

www.nok.se/lt

REDAKTÖR: Elisabeth Fock
OMSLAG & GRAFISK FORM: Alexandra Frank
REPRO: Repro 8 AB, Nacka
TRYCK: Proost NV 2003

Tryckt i Belgien

ISBN 91-27-35445-8

Varför Sverige?

Why Sweden? / Warum Schweden? / Pourquoi la Suède?

PÅ EN RESA FÖR några år sedan fick jag frågan: *"Vad är det för speciellt med Sverige? What's so special with Sweden?"* Frågeställaren var högst artig, vänlig och nyfiken på kungariket i norra Europa med närmare nio miljoner medborgare.

Naturligtvis ville jag berätta – men var skulle jag börja? Med den ärorika historien om krig, kungar och stora slag? Eller om folkhemmet som blev en av världens mest utpräglade demokratier och tog ett jättesprång från fattigt bondeland till rik industrination? Viktigt kändes också att placera Sverige på kartan, läget i Skandinavien mellan Danmark, Norge och Finland.

Men sedan? Kung Carl Gustaf och drottning Silvia, ABBA och Björn Borg, Dag Hammarskjöld, Raoul Wallenberg, Astrid Lindgren, Ingmar Bergman och Ingemar Johansson – svenskar

ON A TRIP SOME years ago I was asked; *"What's so special with Sweden?"* The person asking the question was extremely polite, friendly and curious about the kingdom in northern Europe with almost nine million inhabitants.

Naturally, I wanted to explain – but where should I begin? With the illustrious tale of war, kings and great battles, or with the Welfare State that became one of the most democratic societies in the world and which took a giant leap, from a poor farming country to a rich industrial nation? It also seemed important to place Sweden on the map; its position in Scandinavia, between Denmark, Norway and Finland.

But then? King Carl Gustaf and Queen Silvia, ABBA and Björn Borg, Dag Hammarskjöld, Raoul Wallenberg, Astrid Lindgren, Ingmar Bergman and Ingemar Johansson – Swedes

VOR EINIGEN JAHREN wurde mir im Ausland die Frage gestellt: *Was hat Schweden, was andere Länder nicht haben?* Mein Gesprächspartner war voller Neugier auf das Königreich im Norden Europas mit fast neun Millionen Einwohnern.

Natürlich wollte ich ihm eine erschöpfende Antwort geben – doch wo sollte ich beginnen? Mit der ruhmreichen Geschichte der Kriege, Könige und großen Feldzüge? Oder mit dem schwedischen Wohlfahrtsstaat, dem „Volksheim", das sich zu einer der stärksten Demokratien entwickelte und dem der Riesenschritt von einem armen Agrarland zur reichen Industrienation gelang? Auch erschien es mir wichtig, Schweden geographisch einzuordnen.

Und dann? König Carl Gustaf und Königin Silvia, ABBA und Björn Borg, Dag Hammarskjöld,

IL Y A QUELQUES ANNÉES, une personne m'a posé la question au cours d'un voyage: *qu'est-ce que la Suède a de si particulier? What is so special with Sweden?* Le demandeur était extrêmement poli, agréable et très curieux à propos du royaume au nord de l'Europe qui possède près de neuf millions d'habitants.

Bien entendu, j'avais envie de lui repondre – mais par quoi commençer? En lui racontant l'histoire glorieuse de la Suède avec ses guerres, ses rois et ses grandes batailles? Ou en parlant de "folkhemmet", l'état providence, devenu une des démocraties les plus développées au monde? Il me semblait aussi important de situer la Suède sur la carte, sa situation en Scandinavie entre le Danemark, la Norvège et la Finlande.

Mais après? Le roi Charles Gustave, la reine Silvia, ABBA et

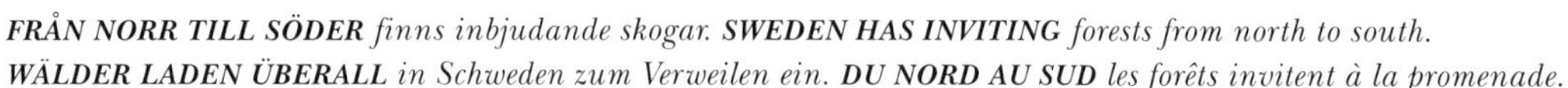

FRÅN NORR TILL SÖDER *finns inbjudande skogar.* ***SWEDEN HAS INVITING*** *forests from north to south.* ***WÄLDER LADEN ÜBERALL*** *in Schweden zum Verweilen ein.* ***DU NORD AU SUD*** *les forêts invitent à la promenade.*

som gett och ger eko ute i världen och bär de svenska traditionerna vidare. Smörgåsbordet och Nobelpriset, midsommardansen och snapsvisor, mobiltelefoner och kullager, Volvo och SAAB. Nog finns det åtskilligt som ger Sverige guldkant och dimensioner värda att notera. Den svenska naturen som börjar med Skånes vidsträckta slätter i söder och slingrar sig upp genom ett varierande landskap med skogar och sjöar till Lapplands snöklädda

who have made, and who make a mark in the world and who carry on the Swedish traditions. The smorgasbord and the Nobel Prize, the midsummer dance and drinking songs, mobile phones and ball bearings, Volvo and SAAB. There is without doubt a great deal that gives Sweden its golden edge and dimensions worth noting. The Swedish scenery that starts with Scania's extensive plains in the south and winds its way up through a varied

Raoul Wallenberg, Astrid Lindgren, Ingmar Bergman und Ingemar Johansson – Schweden, die in der Welt bekannt waren und sind und schwedische Traditionen weitervermitteln. Das schwedische Buffet, Nobelpreise, Mittsommerfest und Trinklieder, Mobiltelefone und Kugellager, Volvo und SAAB. Natürlich zeichnet sich Schweden durch viele Besonderheiten aus wie beispielsweise die schwedische Natur. Sie erstreckt sich von den

Björn Borg, Dag Hammarskjöld, Raoul Wallenberg, Astrid Lindgren, Ingmar Bergman och Ingmar Johansson – des suédois qui ont eu et qui ont une renommée dans le monde entier et qui transmettent les traditions suédoises. Le ”smörgåsbord” et le prix Nobel, les danses de la fête de la Saint-Jean et les chansons à boire tout en dégustant le schnaps, des téléphones mobiles et des roulements à billes, Volvo et SAAB. La nature suédoise, qui

fjäll i norr med midnattssol på evig snö.

Det krävs åtskilligt för att ge en någorlunda utförlig bild och ett svar på vad som är speciellt med Sverige. Enkelt reducerat skulle lokalpatrioten säga: Sverige är ett underbart land. Här finns något att upptäcka som tillfredsställer alla smakriktningar. Natur och kultur går hand i hand, bildligt och bokstavligt talat.

landscape with forests and lakes to Lapland's snow-covered fells in the north with midnight sun on perpetual snow.

A good deal is needed in order to give a fairly detailed picture and an answer as to what is special about Sweden. The local patriot would simply say, "Sweden is a fantastic country." There is something to be found here that satisfies all tastes. Nature and culture walk hand in hand, both metaphorically and literally.

weiten Ebenen Schonens im Süden durch eine abwechslungsreiche Landschaft zu den schneebedeckten Bergen Lapplands im Norden, wo die Strahlen der Mitternachtssonne auf ewiges Eis treffen.

Vieles ist nötig, um die Frage zu beantworten, was an Schweden so besonders ist. Der Lokalpatriot würde kurzerhand sagen: Schweden ist ein wunderbares Land. Hier gibt es für jeden etwas zu entdecken.

commençe dans le sud avec les grandes plaines de Skåne et qui, en serpentant à travers un beau pays de forêts et de lacs continue vers le nord jusqu'aux montagnes couvertes de neige du Lappland dans le nord.

C'est difficile de donner une image assez détaillée et une réponse pour expliquer la particularité de la Suède. Si l'on réduit simplement la réponse à quelques mots, un chauvin dira: La Suède est un pays merveilleux. Ici, il

ÖVER HELA SVERIGE *firas midsommar av ung som gammal, precis som på konstnären Anders Zorns (1860–1920) berömda målning "Midsommardans".* ***MIDSUMMER IS CELEBRATED*** *by young and old alike in Sweden, just as in the famous painting "Midsummer Dance" by the artist Anders Zorn (1860–1920).*

DU GAMLA DU FRIA

I Sveriges nationalsång sjunger vi om: *Du gamla du fria du fjällhöga Nord, du tysta du glädjerika, sköna. Jag hälsar dig vänaste land uppå jord, din sol din himmel, dina ängder gröna.*

Richard Dybecks dikt som blev nationalsång och sjöngs första gången år 1844 är en sam-

THOU ANCIENT, THOU FREEBORN, THOU MOUNTAINOUS NORTH

Swedes, in their national anthem, sing: *Thou ancient, thou freeborn, thou mountainous North, In beauty and peace our hearts beguiling. I greet thee, thou loveliest land on earth, Thy sun, thy skies, thy verdant meadows smiling.*

DU ALTES, DU FREIES LAND

In der schwedischen Nationalhymne singen wir: *„Du alter, du freier, du berghoher Norden, du stiller, du freudenreicher schöner. Ich grüße dich, freundlichstes Land auf Erden, deine Sonne, deinen Himmel, deine grünen Wiesen".*

Dieses Gedicht von Richard Dybeck, das im Jahr 1844 erstmals

y a quelque chose à découvrir qui satisfait les goûts les plus divers.

TOI L'ANCIENNE, TOI LA LIBRE

Dans l'hymne national suédois, nous chantons: *"Toi l'ancienne, toi la libre, vieux Nord montagneux, toi beau Nord silencieux riche en joies! Je te salue, pays le plus*

***IN GANZ SCHWEDEN** feiert Jung und Alt das Mittsommerfest, so wie auch auf dem berühmten Gemälde „Mittsommertanz" des schwedischen Künstlers Anders Zorn (1860–1920).* ***LA FÊTE DE LA SAINT JEAN** est célébrée par tout le monde comme sur le tableau connu "Midsommardans" d'Anders Zorn (1860–1920).*

manfattning av landet som kan glädja sig åt mer än sekellång fred. En lång krigisk historia förbyttes till alliansfri neutralitet och kan liknas vid en ö mitt i ett hav av pakter och stormaktsintressen. Även sedan muren som delade Europa i två halvor föll, har den snabba politiska utvecklingen präglat svensk debatt

Richard Dybeck's poem, which became the national anthem and was sung for the first time in 1844, is a description of the country that is fortunate to have enjoyed peace for more than a century. Its long and belligerent past was replaced by a policy of non-aligned neutrality, and the country may now be

als Text der schwedischen Nationalhymne gesungen wurde, beschreibt in konzentrierter Form ein Land, das sich eines mehr als einhundertjährigen Friedens erfreut. Eine lange kriegerische Geschichte wurde von Bündnisfreiheit und Neutralität abgelöst. Nach dem Fall der Mauer und dem Ende der Teilung Europas

beau de la terre, ton soleil, ton ciel, tes prairies verdoyantes".

Le poème de Richard Dybeck, qui est devenu hymne national et qui a été chanté pour la première fois en 1844 est le résumé d'un pays qui peut se réjouir d'avoir eu la paix depuis plus d'un siècle. Une longue histoire de guerres, qui s'est changée en

***I SKOGARNA FINNS** ett rikt djur- och växtliv.* ***FAUNA AND FLORA** abound in the forests.* ***IN DEN WÄLDERN** trifft man auf eine reiche Flora und Fauna.* ***DANS LES FORÊTS** il existe une flore et une faune riches.*

och handlande med uppmjukning av neutralitetsbegreppet som följd. Under många år har Sverige sänt fredsbevarande styrkor till oroshärdar runt om i världen och bidragit till fredsarbete i Förenta Nationernas regi.

SVENSK MIX

I den svenska mixen finns det åtskilligt som kan verka exotiskt för främlingar. Jag har sett förundrade japaner dansa den traditionella leken *Små grodorna* på en midsommaräng invid sjön Mälaren och att slumra in på världsunika Ishotellet i Jukkasjärvi har för många blivit ett måste. Dofterna från surströmmingsbordet har visserligen skrämt mer än lockat, men inte slagit hela den svenska mattraditionen i spillror!

Luciafirandet i december hör också till bilden och gnistrande vinternätter med norrskenet

compared to an island in a sea of pacts and Great Power interests. Also, since the Wall which divided Europe into two halves fell, the rapid political development has characterized Swedish debate and actions with moderation of the neutrality concept as a result. For many years Sweden has sent peace-keeping forces to various centres of unrest in the world and has contributed to peace work under the auspices of the United Nations.

SWEDISH MIX

There is a good deal in the Swedish mix that may seem exotic to strangers. I have seen astonished Japanese join in the traditional dance *Små grodorna* in a meadow by Lake Mälaren at midsummer, and dozing off to sleep at the unique Ice Hotel in Jukkasjärvi has become a must for many. While the smell of fermented

beeinflusste die rasante politische Entwicklung die nationale Debatte und das politische Handeln Schwedens, was eine Aufweichung des Neutralitätsbegriffes zur Folge hatte. Seit vielen Jahren sendet Schweden Friedenstruppen in Konfliktherde überall auf der Welt und leistet so einen Beitrag zur UN-Friedensarbeit.

SCHWEDISCHE MISCHUNG

Die schwedische Mischung beinhaltet vieles, was exotisch erscheinen mag. Ich habe zu Mittsommer auf einer Wiese am See Mälaren verblüffte Japaner den traditionellen *Froschreigen* tanzen sehen, und eine Nacht im weltweit einzigartigen Eishotel im nordschwedischen Jukkasjärvi ist für viele zu einem Muss geworden. Die von einer geöffneten Dose surströmming (gegorener Ostseeströmling) aufsteigenden Düfte

une neutralité sans alliances. On a vu un développement politique rapide mettre son empreinte sur le débat et sur la manière d'agir des suédois ce qui s'est accompagné d'un certain adoucissement du principe de neutralité. Pendant bien des années, la Suède a envoyé des forces armées pour garantir la paix aux points chauds un peu partout dans le monde et a contribué au travail pour la paix dans le cadre des Nations Unies.

MÉLANGE SUÉDOIS

Il existe naturellement dans ce mélange suédois beaucoup de choses qui, aux yeux d'un étranger, peuvent sembler exotiques. J'ai vu des japonais éberlués pendant la fête de la Saint-Jean exécuter la danse traditionnelle *Små grodorna* dans un pré près du lac Mälaren et pour beaucoup, c'est devenu un must de passer

***SKUMMANDE FORSAR** och fjällsjöar lockar till fiske. **FOAMING RAPIDS** and mountain lakes tempt the fisherman. **SCHÄUMENDES WILDWASSER** und Gebirgsseen locken Angler. **TORRENTS BOUILLONNANTS** et lacs de montagne sont autant de tentations pour les pêcheurs.*

flammande över himlavalvet har tjusat många Sverigeresenärer. Kort sagt – en mix av allt blir ett Sverigelapptäcke som värmer och ger mersmak. *That´s Sweden!* Det var en del av mitt svar.

Men det finns så mycket mer att berätta och visa. Sommarsegling i vackra skärgårdar, kanotpaddling på långsträckta vattendrag. Eller varför inte en skridskotur vintertid på nyfrusna isvidder? Vandringsleder och cykelstråk rutar in hela landet. Välordnade campingplatser finns

Baltic herring has certainly caused more alarm than delight, it has not shattered the Swedish food tradition!

Lucia Day celebrations in December are also part of the picture and shimmering winter nights with the Northern Lights playing across the heavens have delighted many visitors. *That's Sweden.* That was part of my answer.

However, there is so much more to tell and show. Summer sailing in beautiful archipelagos,

haben wohl mehr Menschen abgeschreckt als angelockt, doch zum Glück nicht die gesamte schwedische Küche in Verruf gebracht!

Das Luciafest im Dezember gehört ebenfalls dazu, und tief verschneite, nordische Winternächte, in denen das Polarlicht über den Himmel flammt. Aus der Mischung aller Zutaten entsteht ein Schwedencocktail, der wärmt und Appetit macht auf mehr. *Das ist Schweden!* Und das war ein Teil meiner Antwort.

une nuit dans l'hôtel de glaçe (unique au monde) de Jukkasjärvi. Les arômes qui émanent de la table où trône le surströmming, ont certainement fait plus peur qu'envie mais ils n'ont pas, pour autant, porté atteinte à la réputation du reste de la cuisine suédoise!

Les festivités à l'occasion de la sainte Lucie, au mois de décembre, font aussi partie de l'image. Bref – si l'on mélange le tout, cela donne une couverture en patchwork de la Suède qui

det gott om. I städer och samhällen finns kulturaktiviteter i regnbågens alla färger och muséer med intressanta utställningar.

Musiklivet som satt Sverige på världskartan bjuder också på underhållning av bästa klass. I Sverige finns av gammal folkrörelsetradition Folkets hus och folkparker som bildat miljö och grogrund för ett rikt musikliv. I våra dagar har många folkparker slumrat in i törnrosasömn, men ersatts av jättekonserter på valda ställen runt om i landet. Berömda

paddling a canoe on long watercourses. Or, how about a turn on skates during winter on newly-frozen wastes of ice? Long-distance footpaths and cycle paths cross the entire country and there are plenty of well-run camping sites. There are a wide range of cultural events and museums with interesting exhibitions in the cities and communities.

There is in Sweden an old, popular movement tradition, the People's Hall, and amusement parks that have created

Ich denke aber auch an sommerliche Segeltouren in den wunderschönen schwedischen Schären, an das Paddeln auf langgezogenen Wasserläufen, an eine winterliche Schlittschuhfahrt auf den endlosen Eisflächen zugefrorener Gewässer. Wander- und Radwege überziehen das ganze Land. Gut ausgerüstete Campingplätze finden sich überall, und in den Städten und Gemeinden gibt es Kultur für jeden Geschmack.

Auch das Musikleben, das

vous réchauffe et vous donne envie d'en avoir plus. Ceci était une partie de ma réponse.

L'été, les tours en bateau dans le bel archipel, et le canotage sur les longs cours d'eau. Ou pourquoi pas un tour en patins sur de vastes étendues fraîchement prises par les glaces? Des chemins de randonnée et des pistes cyclables quadrillent le pays tout entier. On trouve facilement des campings bien organisés. Il y a dans les villes et les villages des activités culturelles qui ont toutes les

***VINTERN BJUDER PÅ** friska fritidsaktiviteter och skidåkning.* ***INVIGORATING OUTDOOR** activities and skiing winter-time.* ***DER WINTER LÄDT** ein zu Sport und Spiel.* ***L'HIVER OFFRE** des activités de loisirs comme le ski.*

***GRIPSHOLMS SLOTT** med statens porträttsamlingar. **GRIPSHOLM CASTLE** with the State portrait collection. **SCHLOSS GRIPSHOLM** mit den staatlichen Portraitsammlungen. **LE CHÂTEAU** de Gripsholm possède la collection de portraits de l'Etat.*

är de årliga konserterna på Gärdet i Stockholm, rockkvällarna i slottsruinen nära Borgholm på Öland och de klassiska evenemangen i gruvbrottet Dalhalla i Dalarna. En rad slott, till exempel Ulriksdal i Stockholm, Christinehof och Svaneholm i Skåne, bjuder varje år på stora evenemang. På Drottningholms slott utanför Stockholm, bostad för kung Carl XVI Gustaf med familj, kan man uppleva en unik teater från 1700-talet. Här ges varje sommar operaföreställningar av högsta

both an environment and a breeding ground for a prolific musical life. These days many amusement parks have fallen into a slumber but huge concerts at specific venues around the country have taken over. The annual concerts on Gärdet in Stockholm and the evening rock concerts held in the castle ruins close to Borgholm on Öland are famous.

Every year a number of castles such as Ulriksdal in Stockholm, Christinehof and Svane-

einen großen Beitrag zum internationalen Bekanntheitsgrad Schwedens geleistet hat, bietet Unterhaltung auf höchstem Niveau. Bekannt sind die jährlich stattfindenden Konzerte auf Gärdet in Stockholm, die Rockabende in der Schlossruine Borgholm auf der Insel Öland und die klassischen Konzerte im Kalksteinbruch Dalhalla in der Provinz Dalarna. Eine Reihe von Schlössern wie z. B. Ulriksdal in Stockholm sowie Christinehof und Svaneholm in Schonen laden

couleurs de l'arc-en-ciel et des musées avec des expositions intéressantes.

La vie musicale, qui a porté la Suède au niveau mondial, offre aussi un divertissement de haut niveau. Suite à un ancien mouvement populaire, il existe en Suède *Folkets Hus* (La Maison du Peuple) et des parcs d'attractions qui ont constitué un milieu et un terrain propices à une vie musicale riche. Beaucoup de ces parcs d'attractions ont été remplacés par des concerts gigantesques aux quatre

TROLLE LJUNGBY *Skåne*

BOSJÖKLOSTER *Skåne*

SKOKLOSTER *Uppland*

KRONOVALL *Skåne*

klass med solister och artister från Kungliga Teatern i Stockholm. I raden av attraktioner bör också Skansen i Stockholm nämnas, ett omtyckt friluftsmuseum med evenemang och konserter på stora scenen. Gröna Lund i Stockholm och nöjesparken Liseberg i Göteborg har stora scener med världsstjärnor som affischnamn. I Malmö vallfärdar man gärna till Pildammsparken när nöjeslivet lockar. Lägg till detta alla lokala evenemang i form av spelmansstämmor, karnevaler, festivaler

holm in Scania arrange major events. At Drottningholm Palace on the outskirts of Stockholm, the residence of King Carl XVI Gustaf and his family, visitors can see a unique theatre dating from the 18th century. Opera performances of the highest quality with soloists and artists from the Royal Opera in Stockholm are set up here every summer.

Gröna Lund in Stockholm and the Liseberg fairground in Gothenburg have large stages

jedes Jahr zu großen Veranstaltungen ein. Im Schloss Drottningholm bei Stockholm, dem Wohnsitz des heutigen Königs Carl XVI. Gustaf und seiner Familie, kann man einzigartiges Theater aus dem 18. Jahrhundert erleben. Bei einer Aufzählung der Sehenswürdigkeiten sollte auch Skansen nicht fehlen, ein beliebtes Freilichtmuseum in Stockholm mit Veranstaltungen und Konzerten. Gröna Lund in Stockholm und der Vergnügungspark Liseberg in Göteborg verfügen über große

coins du pays. Les concerts annuels sur Gärdet à Stockholm sont celèbres; les soirées rock dans les ruines du château près de Borgholm à Öland et les événements classiques dans la mine Dalhalla en Dalecarlie. Ulriksdal à Stockholm, Christinehof et Svaneholm en Skåne proposent des grands manifestations artistiques. Au château de Drottningholm près de Stockholm, résidence du roi Charles XVI Gustave et de sa famille, on peut assister à des représentations dans un théatre du

***DET FINNS STRÖVOMRÅDEN** för alla, här Jämtland och Värmland. **RAMBLING AREAS** to suit everyone, here Jämtland and Värmland. **ERHOLUNGSGEBIETE FÜR JEDERMANN,** hier in Jämtland und Värmland. **IL Y A DES COINS** de balade pour tout le monde, ici Jämtland et Värmland.*

och folkfester. Det finns ett hav av toner snart sagt överallt.

Sverige har också utvecklats till en nation med framgångsrika högproducerande verkstadsindustrier och teknologisk produktion med mängder av innovationer. Tidigt grundades här industrier som byggde på geniala uppfinningar. Blixtlåset och AGA-fyrarna är ett par av de mest kända. Alfred Nobels sprängmedel födde en världsindustri och i förlängningen de prestigefyllda Nobelprisen.

Under senare tider har forskning fött rader av uppfinningar.

with world-class stars on the billing. People flock to Pildamms Park in Malmö when they wish to be entertained.

Sweden has also developed into a nation with renowned, highly productive engineering industries and technological production with many innovations. Industries based on ingenious inventions started up here at an early stage. The zip and the AGA lighthouse are two of the better-known inventions. Alfred Nobel's dynamite gave birth to a global industry and subsequently to the prestigious Nobel Prizes.

Bühnen, die mit Weltstars locken. In Malmö begeben sich Unterhaltungssuchende gern zum Pildammsparken. Hinzu kommen Spielmannsfeste, Karnevals, Festivals und Volksfeste.

Schweden hat sich darüber hinaus zu einer Nation mit erfolgreichen, hochproduktiven metallverarbeitenden Industriezweigen und äußerst innovativen Technologien entwickelt. Früh entstanden hier auf Grundlage bahnbrechender Erfindungen ganze Industrien. Der Reißverschluss und die AGA-Leuchttürme sind zwei der bekanntesten Beispiele.

dix-huitième siècle unique au monde. C'est ici que l'on donne, chaque été, des soirées d'opéra de grande classe avec des solistes et des artistes du Théatre Royal de Stockholm. Dans la liste d'attractions, il faut aussi citer Skansen à Stockholm, un musée populaire de plein air avec des représentations et des concerts sur la grande scène. Gröna Lund à Stockholm et le parc très fréquenté de Liseberg à Göteborg possèdent de grandes scènes où se produisent des stars mondialement connues. A Malmö, on fait volontiers le pèlerinage à Pildammsparken

På IT-sidan kan Ericssons telekommunikationsprodukter tävla med de främsta i världen och vem har inte hört talas om magsårsmedicinen Lozec, ett av flera läkemedel med svenskt ursprung. På bilsidan tävlar Volvo och SAAB om marknadsandelar. SAAB står också för en flygindustri med både civil och militär framtoning som teknologiskt ligger i världsklass.

Man kan närma sig Sverige på flera sätt. Många långväga besökare föredrar flyg och landar på Arlanda utanför Stockholm, Landvetter nära Göteborg eller

In recent years research has given birth to a number of inventions. Ericsson's telecommunications products can compete with the foremost in the world on the IT front and who has not heard of the stomach ulcer drug Losec?

There are several ways to approach Sweden. Many visitors from afar prefer to fly and land at Arlanda on the outskirts of Stockholm, Landvetter close to Gothenburg or at Sturup in Scania. There are many ferry routes to Sweden and the shipping lines' vessels cross the whole of the Baltic and the waters to

Alfred Nobels Sprengstoff begründete eine ganze Branche und später die begehrten Nobelpreise.

In jüngerer Zeit hat die Forschung zu zahlreichen Erfindungen geführt. Die IT-Produkte von Ericsson können mit den Weltbesten konkurrieren, und wer kennt nicht das Magenmedikament Losec, eines von vielen Arzneimitteln schwedischen Ursprungs.

In der Automobilbranche kämpfen Volvo und SAAB um Marktanteile. SAAB ist außerdem in der Flugzeugindustrie

pour y chercher des distractions. Ajoutez à ceci toutes les réjouissances locales sous forme de rencontres de violoneux, de carnavals, de festivals et de fêtes populaires.

La Suède est devenue une nation qui possède des industries de construction mécanique à production intensive et une production technologique très innovante. Ici, on a très tôt fondé des industries. La fermetureéclair et les phares AGA sont parmi les plus connues. La dynamite d'Alfred Nobel a fait naître une industrie de dimension mondiale;

på Sturup i Skåne. Färjelinjerna till Sverige är många och rederiernas fartyg korsar hela Östersjön och vattnen i väst. Till detta skall läggas broförbindelsen med Danmark som förbinder Malmö med Köpenhamn. Den 17 kilometer långa brolänken för allt fler turister och besökare till Sverige med kulmen under sommarhalvåret. Stora turistintressen och sammanslutningar i branschen försöker med EU-hjälp binda samman Sydöstra Skåne med danska Bornholm

the west. The bridge to Denmark, which links Malmö with Copenhagen, may be added to the above. An increasing number of tourists and visitors to Sweden use the 17 kilometre-long bridge, particularly during the summer months. Major tourist interests and alliances in the sector are trying with EU aid to link south-east Scania to Danish Bornholm and to the tourist delights of German Rügen and Polish Swinoujsche. Scania's Österlen and the tourist industry in Ystad and

für zivile und militärische Auftraggeber tätig und zählt mit seiner dabei zur Anwendung kommenden Technologie zur Weltspitze.

Viele Wege führen nach Schweden. Besucher aus fernen Ländern bevorzugen das Flugzeug und landen auf den Flughäfen Arlanda bei Stockholm, Landvetter bei Göteborg oder Sturup in Schonen. Außerdem gibt es viele Fährverbindungen nach Schweden und die 17 km lange Brücke zwischen den

ceci a été à l'origine des prestigieux prix Nobel.

Côté TIC, les produits pour télécommunications d'Ericsson peuvent rivaliser avec les plus grands du monde; qui n'a pas entendu parler du médicament Losec, utilisé pour traîter les ulcères d'estomac, une préparation d'origine suédoise? Côté automobiles, Volvo et SAAB se disputent les parts de marché. SAAB possède aussi une industrie d'aviation de classe mondiale dans les domaines civil et militaire.

KAPPSEGLING PÅ VÄSTKUSTEN. *Till höger: Öresundsbron som förbinder Sverige med Danmark.* ***YACHT-RACING OFF THE WEST COAST.*** *Right: The Öresund Bridge which links Sweden to Denmark.* ***SEGELREGATTA AN DER WESTKÜSTE.*** *Rechts: Die Öresundbrücke verbindet Schweden und Dänemark.* ***RÉGATE SUR LA CÔTE OUEST.*** *A droite: Öresundsbron qui relie la Suède au Danemark.*

och turistparadisen på tyska Rügen och polska Swinoujsche. Att ansträngningarna bär frukt märks särskilt på skånska Österlen och hos turistnäringarna i Ystad och Simrishamn. Sommarens seglande turister skall också räknas in, småbåtshamnarna får varje år ta emot mängder av fritidsbåtar med utländsk flagg.

Simrishamn in particular are reaping the benefits of the efforts. Summer tourists arriving by boat should also be included; every year the marinas are host to many leisure boats with foreign flags.

Städten Malmö und Kopenhagen, die Schweden mit Dänemark verbindet. Über sie kommen immer mehr Besucher nach Schweden. Hauptreisezeit ist das Sommerhalbjahr. Versuche werden unternommen, den Südosten Schonens mit der dänischen Insel Bornholm und den Touristenparadiesen auf der deutschen Insel Rügen und im Raum Swinoujscie in Polen zu verbinden. Den Erfolg dieser Anstrengungen spürt man besonders in Österlen und in den Städten Ystad und Simrishamn.

Beaucoup de visiteurs préfèrent l'avion et atterrissent à Arlanda en dehors de Stockholm, à Landvetter près de Göteborg et à Sturup en Skåne. Divers bateaux de compagnies de navigation se croisent dans la Mer Baltique et les eaux de l'ouest. Ajoutons à ceci la liaison avec le Danemark par un pont qui relie Malmö à Copenhague. Ce lien de 17 kilomètres de long emmène de plus en plus de touristes et visiteurs en Suède.

Från isöken till nybyggarland

From an icy wilderness to a country of settlers / Eiswüste wird Siedlerland / Du desert de glaçe au pays des colons

LÅT OSS BÖRJA FRÅN början. För tiotusen år sedan var det som senare skulle kallas Sverige, en isöken med svepande kalla vindar som blåste bort det mesta av allt levande från den sterila tundran. Allt eftersom årtusendena gick förändrades klimatet, värmande vindar fick det tjocka istäcket att sakta börja smälta vid sydkusten. Så småningom började marken täckas av lavar och mossor och arter av vide. Därefter kom björk och senare andra arter. Tall och hassel fick fäste i markerna och under årtusendenas gång berikades floran med ek, ask, alm och lind. En allt större landremsa gav livsutrymme åt landbaserade djur, renar och älgar, varg och björnar och andra djur och fåglar.

Över Östersjön kom jägarfolk i primitiva farkoster och etablerade sig i det nya landet med sina familjer. Jägarfolken blev framgångsrika. Ryktet om

LET US BEGIN at the beginning. Ten thousand years ago what later came to be called Sweden was an icy wilderness with sweeping cold winds that blew away most living things from the barren tundra. The climate changed as the millennia passed; warm winds caused the thick sheet of ice to slowly melt along the south coast. Eventually the ground started to be covered with lichen and moss and species of willow, and then came the birch and later on other species. Pine trees and hazels found root and over the years oak, ash, elm and lime trees enriched the flora. An ever-larger strip of land provided land animals such as reindeer and elk, wolves and bears and other animals and birds with space in which to live.

Hunters came across the Baltic in primitive boats and settled down in the new country with

BEGINNEN WIR GANZ am Anfang. Vor zehntausend Jahren war das Gebiet des späteren Schwedens eine Eiswüste. Kalte Winde fegten über die sterile Tundra und fast alles Leben mit sich fort. Im Laufe der Jahrtausende veränderte sich das Klima. Wärmere Winde brachten den mächtigen Eispanzer an der Südküste zum schmelzen. Allmählich bedeckten Flechten und Moose sowie Weidengewächse das Land. Danach kamen die ersten Birken, später weitere Pflanzenarten. Kiefer und gemeine Hasel fanden in der Erde Halt und im Laufe der Jahrtausende auch Eichen, Eschen, Ulmen und Linden. Ein immer größerer eisfreier Streifen bot Lebensraum für Landtiere; für Rentiere und Elche, Wölfe und Bären, Vögel und andere Lebewesen.

In primitiven Booten kamen Jäger über die Ostsee und ließen

COMMENÇONS PAR le début. Il y a dix mille ans ce que l'on appelera plus tard la Suède était un désert de glaçe où des vents froids balayaient la plupart des êtres vivant sur une toundra stérile. Au cours des millenaires suivants, le climat changea, des vents plus chauds ont lentement fait fondre l'épaisse couche de glaçe sur la côte sud. Petit à petit, le sol s'est couvert de lichens, mousses et differents espèces d'osier. Ensuite sont apparus les bouleaux et, plus tard, les autres espèces. Pins et noisetiers ont pris pied sur le terrain et au cours des siècles la flore s'est enrichie de chênes, frênes, ormes et tilleuls. Une bande de terre de plus en plus large a offert un espace de vie aux animaux terrestres, rennes et élans, loups, ours et autres animaux et oiseaux.

Des peuples de chasseurs sont venus sur la Mer Baltique à bord de bateaux primitifs pour s'établir

***HÄLLRISTNINGAR** i Tanumshede, bildsten på Gotland och Ansgarskorset på Björkö, Mälaren. **ROCK CARVINGS** in Tanumshede, a picture stone on Gotland and the Cross of Ansgar on Björkö, Mälaren. **FELSZEICHNUNGEN** in Tanumshede, Bildstein auf Gotland und Ansgarkreuz auf Björkö im Mälaren. **GRAVURES RUPESTRES** à Tanumshede, pierre gravée à Gotland et Ansgarskorset à Björkö, Mälaren.*

det rika landet i norr spred sig och på släta berghällar i kustområdena ristade man sina skildringar av lyckade seglatser och jakter. Med hudarna från de fällda djuren sydde man kläder, benresterna blev pilar och krokar för fiske i de laxförande älvarna. När istidens enorma massor släppte sitt grepp steg landet, nya markarealer växte fram och de första primitiva åkrarna togs i bruk. Människorna hade kommit för att stanna och lärde sig

their families. The hunters became successful; rumour of the plentiful country in the north circulated and people carved their stories of successful voyages and hunts on smooth rock faces in the coastal areas. They sewed clothes from the pelts of the slain animals; bone remnants became arrows and hooks for fishing in the salmon-carrying rivers. The land rose when the enormous masses from the Ice Age released their hold, new areas of land

sich mit ihren Familien in dem neuen Land nieder. Der Ruf vom reichen Land im Norden verbreitete sich und auf glatten Felsflächen im Küstenbereich ritzte man Schilderungen erfolgreicher Seefahrten und Jagden in den Stein. Aus den Häuten der erlegten Tiere fertigte man Kleidung, die Knochenreste wurden zu Pfeilen und Angelhaken für die lachsreichen Flüsse. Als der Druck der enormen Eismassen auf das Land nachließ, hob es

dans le nouveau pays avec leurs familles. Les chasseurs faisaient des bonnes parties de chasse. La réputation du pays riche dans le nord s'est répandue; ils ont gravé des descriptions de navigation et de parties de chasse réussies sur des rochers plats autour des côtes. Ils taillaient leurs vêtements dans les peaux des bêtes abattues et avec les os ils fabriquaient des flêches et des hameçons pour pêcher le saumon dans les rivières. Quand l'énorme quantité de

att tygla det bistra klimatet i det nya landet. Man blev allt skickligare sjöfarare och kontakterna över havet gav goda inkomster. Skinn från fällda djur byttes mot andra attraktiva varor. Hantverksprodukter fick finare former och ben- och stenutrustningar ersattes med tiden av klingande metall. Brons och järn gav allt effektivare vapen och verktyg och stenyxornas tid var definitivt slut. Nu började den tid då nybyggarna hade möjligheter att

emerged and the first, primitive fields were worked. Man had come to stay and he learnt to control the bitter climate of the new country. The inhabitants became skilful seafarers and contact over the seas gave good income. The pelts of slain animals were traded for other attractive goods. Handicraft products became more advanced and after a while bone and stone ware were replaced by clinking metal. Bronze and iron produced more

sich. Das Wasser gab neue Landflächen frei, erste primitive Äcker wurden angelegt. Die Menschen wurden sesshaft und lernten, dem rauhen Klima zu trotzen. Als immer geschicktere Seefahrer konnten sie ihre Kontakte über das Meer zu einer guten Einnahmequelle ausbauen. Pelze erlegter Tiere wurden gegen andere, attraktive Waren eingetauscht. Die Qualität der handwerklichen Produkte erhöhte sich, Gegenstände aus Knochen und Stein

glace relâcha sa poigne de fer le pays se rehaussa, de nouveaux terrains apparurent et les premiers champs furent cultivés. Les hommes étaient venus pour rester et apprenaient à maîtriser le climat rude de ce nouveau pays. Les navigateurs devenaient de plus en plus habiles et les contacts par-dessus les mers leur procuraient de bons revenus. On échangait les peaux des animaux abattus contre toutes sortes de marchandises attrayantes. Les

***BOKSKOG I SKÅNE** och björkskog i Lappland. **BEECH WOODS IN** Scania and birch woods in Lapland. **BUCHENWALD IN SCHONEN,** Birkenwald in Lappland. **FORÊT DE HÊTRES** en Skåne et forêt de bouleaux en Laponie.*

skapa ett livsutrymme med resurser att föröka sig. Runt om i landet, särskilt i kustområdena, finner man märkliga spår av dessa tidiga bosättningar. Byarna blev allt mer dominerande, människor slöt sig samman och bildade samhällen styrda av mäktiga män och krigare. Klimatet spelade dem i händerna, sjösystemen öppnade nya farleder till rika landområden, i skogarna fann man både försörjning och skydd. Grottor byttes

efficient weapons and tools, and the age of the stone axe came to an end. An era began in which the settlers had the opportunity to create a lifestyle with resources to reproduce. Remarkable traces of these early settlements can be found all around the country, particularly in the coastal areas. The villages became more prevalent, people grouped together and built communities governed by powerful men and warriors.

wurden allmählich durch klingendes Metall ersetzt. Bronze und Eisen führten zur Herstellung effizienterer Waffen und Werkzeuge. Die Zeit der Steinaxt war endgültig vorbei. Es begann eine neue Epoche, in der sich den Siedlern erstmals die Möglichkeit bot, einen Lebensraum zu schaffen, der sich vergrößern ließ. Besonders entlang der Küsten finden sich bemerkenswerte Spuren dieser frühen Siedlungen. Dörfer

produits manufacturés s'affinaient et, avec le temps, l'os et la pierre cédaient leur place en tant que matériaux contre des métaux sonnants. Le bronze et le fer rendaient les armes et les outils de plus en plus efficaces et le temps des haches en pierre était définitivement révolu. Maintenant, venait l'époque où les colons avaient la possibilité de créer, pour pouvoir se multiplier, un espace de vie avec des ressources. Partout

mot timrade hus, i sjösystemet Mälaren byggdes samhällen som dominerade handel och sjöfart.

BIRKA

Den märkliga staden Birka på Björkö i Mälaren utvecklades till ett tidigt centrum. Hit kom benediktinmunken Ansgar med sitt följe och förde med sig det kristna budskapet som tog död på de hedniska riter som tidigare behärskade människornas tro. Ansgar fick ett sorgligt slut som

The climate played into their hands, the network of waters opened new routes to rich areas of land and the forests supplied both provisions and protection. Caves were abandoned for timbered houses and by the waters of Lake Mälaren communities grew, which dominated trade and seafaring.

BIRKA

The remarkable town of Birka on Björkö in Lake Mälaren deve-

wurden zur immer stärker dominierenden Lebensform. Menschen schlossen sich zusammen und gründeten Orte, deren Geschicke in den Händen mächtiger Männer und Krieger lagen. Im Gebiet des Mälaren existierende Orte dominierten Handel und Seefahrt.

BIRKA

Die beeindruckende Stadt Birka auf der Insel Björkö im Mälaren entwickelte sich zu einem frühen

dans le pays, surtout près des côtes, on trouve des traçes remarquables de ces habitats archaïques. Les villages s'imposaient de plus en plus, les hommes se rejoignaient et constituaient des communautés dirigées par des hommes puissants et guerriers. Le climat leur était favorable; en traversant les lacs ils pouvaient atteindre de nouvelles et riches contrées; dans les forêts les hommes trouvaient approvisionnement et abri. Les grottes étaient

FISKESTUGOR PÅ FÅRÖ *och kyrkoruin i Visby.* ***FISHERMENS' HUTS*** *on Fårö and church ruins in Visby.* ***FISCHERHÄUSCHEN AUF FÅRÖ,*** *Kirchenruine in Visby.* ***CABANES DE PÊCHEURS*** *à Fårö et ruine d'église à Visby.*

martyr, men resultatet av hans verksamhet satte för alltid spår i 800-talets kultur och framåt.

Något som länge förbryllat forskningen är att Birka övergavs och en ny stadsbildning växte fram i närbelägna Sigtuna. Vid det här laget har de tidiga svenskarna skaffat sig ett grepp om handel och sjöfart. Årligen gav männen sig iväg på sjöfärder i öst och väst. Vikingarna, männen från norr, blev ett fruktat begrepp runt om i Europa med plundring

loped into a centre at an early stage. The Benedictine monk Angsar came to Birka with his followers and carried with him the Christian message that brought an end to the pagan rituals that had previously dominated people's beliefs. Angsar came to a sad end as a martyr but the result of his work forever left an impression on ninth century and future culture.

Something that has puzzled researchers for a long time is

Zentrum. Hierher kam der Benediktinermönch Ansgar mit seinem Gefolge und der christlichen Botschaft. Ansgar starb den Märtyrertod, doch seine Missionstätigkeit hat Leben und Kultur ab dem 9. Jahrhundert dauerhaft verändert.

Die Tatsache, dass Birka verlassen und im nahe gelegenen Sigtuna eine neue Stadt angelegt wurde, gibt den Forscher seit langem Rätsel auf. Zu jenem Zeitpunkt hatten die frühen Schwe-

abandonnées pour des maisons en bois.

BIRKA

Très tôt un centre s'est développé avec la ville remarquable de Birka sur Björkön dans Mälaren. Le moine bénédictin Ansgar avec sa suite est venu ici et a apporté le message chrétien qui a mis fin aux rites paiens qui gouvernaient les croyances des hommes. L'action d'Ansgar, mort en martyr, a pour toujours marqué la culture à partir de l'an 800.

***DALARNAS FÄBODAR** minner om genuin svensk byggnadskonst.* ***DALECARLIAN CHALETS** call to mind genuine Swedish architecture.* ***DIE SENNHÜTTEN DALARNAS,** Zeugnisse alter schwedischer Baukunst.* ***LES CABANES DE PÂTURAGES** d'été rappellent les constructions suédoises typiques.*

högt på listan, men också export och import i vanlig mening. Föremål från denna tidiga handel har grävts fram i nästan alla länder kring Östersjön och långt nere i södra Ryssland och ottomanska områden.

I dag är Birka en stor sevärdhet. Utgrävningarna och muséet på den idylliska ön i Mälaren är ett populärt turistmål. Under sommarhalvåret går dagliga båtturer från Stockholms innerstad till Björkö längs en av Sveriges

that Birka was abandoned and a new town grew up in nearby Sigtuna. The early Swedes had at this time acquired a hold on trade and seafaring. The men went forth annually on sea journeys both to the east and west. The Vikings, the men from the north, were a feared concept around Europe with plundering high on their list, but even exports and imports in the general sense of the word. Objects from this early trade have been found

den Handel und Seefahrt fest in ihrer Hand. Jährlich begaben sich die Männer auf Seereisen nach Ost und West. Die Wikinger wurden in ganz Europa zu einem Begriff, stark verknüpft mit Plünderungen, aber auch mit engen Handelsbeziehungen. Gegenstände dieses frühen Handels sind sogar im tiefen Süden Russlands und in ottomanischen Gebieten gefunden worden.

Heute ist Birka eine große Sehenswürdigkeit. Im Sommer-

Pourquoi Birka a été abandonné au profit de la formation d'une nouvelle ville à Sigtuna, situé non loin de là. Les suédois ont la haute main sur le commerce et la navigation; les hommes partent chaque année pour naviguer vers l'est et l'ouest. Les vikings, les hommes du nord, ont répandu l'effroi partout en Europe à cause de leurs pillages mais ceux-ci pratiquaient aussi l'export-import au sens habituel. Des objets de ce commerce ancien

vackraste vattenvägar. Bland annat passerar man Drottningholms slott, ett svenskt miniatyr-Versailles och kungafamiljens bostad. Här ligger också den berömda 1700-tals teatern som varje sommar ger högklassiga operaföreställningar.

in almost all the countries around the Baltic and a long way down in the south of Russia and in Ottoman regions.

Birka is now a major site. The excavations and the museum on the idyllic island in Lake Mälaren are a popular tourist attraction. During the summer half of the year daily boat trips go from Stockholm's centre to Björkö along one of Sweden's most beautiful waterways.

halbjahr legen täglich Ausflugsboote von der Stockholmer Innenstadt nach Björkö ab und befahren dabei eine der schönsten Wasserstraßen Schwedens.

ont été trouvés au cours de fouilles dans presque tous les pays autour de la Mer du Nord et très loin dans le sud de la Russie et les pays ottomans.

Birka est aujourd'hui une curiosité à visiter. Les fouilles et le musée sur l'île idyllique dans Mälaren sont devenus un but très recherché par les touristes. En été, des balades en bâteau quotidiennes partent du centre ville de Stockholm pour Björkö.

Mat och musik

Food and music / Essen und Musik / Nourriture et musique

ETT SVENSKT ORD som finns spritt över hela världen är *smörgåsbord, smorgasbord* i internationell och IT-stavning. Det symboliserar det svenska kökets kulinariska överflöd och bjuder på härligheter av många slag.

Denna svenska matmix växte fram i slutet av 1800-talet och serverades huvudsakligen på järnvägsrestauranger och stadshotell. Det var en logisk utveckling av 1700-talets enklare brännvinsbord som bestod av snaps, smör, bröd och saltmat. Sjuttonhundratalets bord kompletterades med sill i olika inläggningar och sallader, ål och lax, kallskuret, korvar, aladåber och syltor, rostbiff och leverpastej, äggrätter, småvarmt som köttbullar, Janssons frestelse och prinskorvar, ost och flera sorters bröd. Smörgåsbordet blev en verklig attraktion. Till jul, årets stora mathelg, byggs smörgås-

A SWEDISH WORD that has spread across the whole world is *smörgåsbord*, or smorgasbord with international and IT spelling. It symbolises the culinary abundance of the Swedish kitchen and many different delicacies are on offer.

This Swedish food mix evolved at the end of the 19th century and was mainly served in railway restaurants and hotels. It was a logical development of the 18th century's simpler Scandinavian vodka buffet, which comprised schnapps, butter, bread and salted food. Different kinds of pickled herring and salads, eel and salmon, cold cuts of meat, sausages, aspic and brawn, roast beef and liver paste, egg dishes, hot dishes such as meat balls, Jansson's temptation and chipolata sausages, cheeses and several different types of bread came to complement the eighteenth cen-

EIN IN DER GANZEN Welt bekanntes schwedisches Wort ist *smörgåsbord*, in internationaler und IT-Schreibweise smorgasbord. Es symolisiert den kulinarischen Überfluss der schwedischen Küche und bietet Köstlichkeiten verschiedenster Art.

Diese schwedische Mischung von Gerichten entstand im ausgehenden 19. Jahrhundert. Es handelt sich hierbei um eine Weiterentwicklung des einfacheren Branntweinbuffets aus dem 18. Jahrhundert, bestehend aus Schnaps, Butter, Brot und salzkonservierten Speisen. Dieses Buffet wurde nun ergänzt durch verschiedene Sorten eingelegten Hering und Heringssalate, durch Aal und Lachs, kalten Aufschnitt, Wurst, Aspikspeisen und Sülzen, Roastbeef und Leberpastete, Eiervariationen, warme Kleinigkeiten wie Fleischbällchen, den Kartoffelauflauf Janssons Versuchung und

IL EXISTE UN MOT suédois connu dans le monde entier: *smörgåsbord* ou smorgasbord en écriture internationale et informatique. Ce mot symbolise l'abondance de la cuisine suédoise et offre toute sorte de merveilles.

Ce mélange de nourritures s'est developpé à la fin du dix-neuvième siècle, surtout dans les restaurants des gares et les hôtels. A l'origine, sur la table du dix-huitième siècle, il était plus simple et comprenait du schnaps, du beurre, du pain et des salaisons. Le menu du dix-huitième a été complété par du hareng, conservé de différentes manières quelquefois ajouté dans des salades ainsi que de l'anguille et du saumon, des viandes froides, des saucisses, des plats en gelée et des fromages de tête, du rosbif et du pâté de foie, des oeufs, des petits plats chauds comme les boulettes de viande, la Tentation

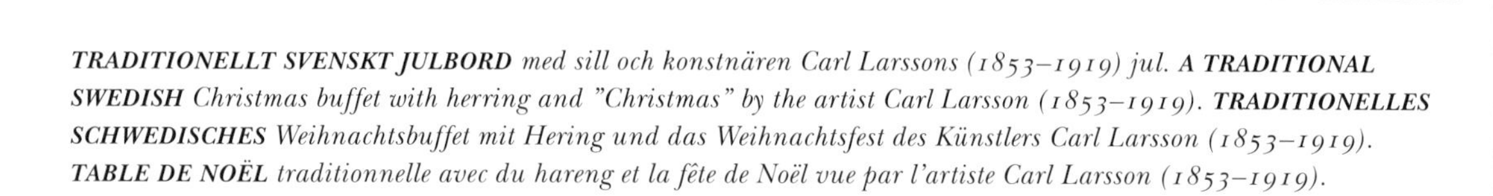

***TRADITIONELLT SVENSKT JULBORD** med sill och konstnären Carl Larssons (1853–1919) jul. **A TRADITIONAL SWEDISH** Christmas buffet with herring and "Christmas" by the artist Carl Larsson (1853–1919). **TRADITIONELLES SCHWEDISCHES** Weihnachtsbuffet mit Hering und das Weihnachtsfest des Künstlers Carl Larsson (1853–1919). **TABLE DE NOËL** traditionnelle avec du hareng et la fête de Noël vue par l'artiste Carl Larsson (1853–1919).*

bordet på med ytterligare godsaker i form av skinka, lutfisk, olika kålrätter, revbensspjäll och risgrynsgröt.

Svenskarnas förhållande till smörgåsbordet är idag ganska blandat. Det finns allt från glupsk entusiasm till hatkärlek till detta överdåd av rätter. Gärna smörgåsbord men inte för ofta! Kanske har den nya tidens tänkande på kaloriintag och kolesterolnivåer satt spår i konsumtionen och i stället fört över

tury buffet. The smorgasbord became a real attraction. Other delicacies such as ham, boiled ling, different cabbage dishes, spare ribs and rice pudding complement the smorgasbord at Christmas time, the chief culinary holiday of the year.

Nowadays Swedes' relationship to the smorgasbord is somewhat varied, ranging from voracious enthusiasm to hatred tinged with love for this abundance of dishes. Swedes enjoy the smorgas-

kleine Prinzwürstchen, Käse und mehrere Sorten Brot. Zu Weihnachten, der großen Schlemmerzeit des Jahres, versieht man dieses Buffet mit weiteren Leckereien in Form von Schinken, gelaugtem Stockfisch, verschiedenen Kohlzubereitungen, Rippchen und Milchreis.

Die Gefühle der Schweden für ihr smörgåsbord sind heute gemischt und reichen von unersättlichem Enthusiasmus bis zur Hassliebe. Smörgåsbord ja, aber

de Jansson et des petites saucisses, des fromages et plusieurs sortes de pain. Le smorgasbord est devenu une véritable attraction. Pour Noël, qui est la fête de l'année où la nourriture a la plus grande place, on enrichit le smorgasbord avec d'autres délices sous forme de jambon, morue macérée dans de la soude, différents sortes de chou, des côtes de porc grillées et du riz au lait.

Les suédois ont aujourd'hui des relations assez différentes

intresset till nya tiders svenska rätter. Den internationella snabbmaten har erövrat Sverige och den klassiska varma korven med bröd och senap har fått konkurrens av grillade hamburgare och kebabrätter. Svenska folkets utlandsresor har också påverkat matvanorna och internationaliserat smaken. Medelhavsländernas olivoljebaserade läckerheter finns att få över hela landet och de asiatiska kökens utbud finns snart överallt.

bord, but not too often! Perhaps the present awareness of calorie intake and cholesterol levels has left a mark on consumption and there is instead interest in modern Swedish dishes. International fast food has conquered Sweden and the classical hot dog with mustard now has to compete against grilled hamburgers and kebab dishes. Swedes' travels abroad have also influenced eating habits and tastes have become more international. The olive oil

nicht zu oft! Vielleicht hat die neue Zeit mit kalorien- und cholesterinbewusster Ernährung ihre Spuren in den Essgewohnheiten hinterlassen und stattdessen das Interesse auf die moderne schwedische Küche gelenkt. Das internationale Fastfood hat Schweden erobert. Das klassische warme Würstchen mit Brot und Senf konkurriert heute mit Hamburgern und Kebabgerichten. Auch die Auslandsreisen der Schweden haben die Essgewohnheiten be-

avec le smorgasbord. Cela va de l'enthousiasme vorace à une haine mélée d'amour pour cette débauche de nourriture. Les temps modernes et la notion de calories et cholesterol ont peut-être laissé des traces dans la consommation et fait porter l'interêt sur les plats suédois actuels. La restauration rapide internationale a conquis la Suède et la classique saucisse chaude avec de la moutarde est concurrençée par des hamburger grillés et des kebabs. Les voyages

BÄRPAJ MED HALLON *Raspberry tart. Obstkuchen mit Himbeeren. Tarte aux framboises.*

Den klassiska husmanskosten håller dock fortfarande ett stadigt grepp om smaken. Pannbiff med lök och ärtsoppa med plättar får det att vattnas i munnen på vem som helst. Vem tackar nej till rårakor med stekt fläsk eller fläsklägg med rotmos? Fortfarande drar kåldolmar, kroppkakor, strömmingsflundra med potatismos och isterband med stuvad potatis folk till de dukade borden. En god älgstek hör till höstens fröjder. Man behöver med andra ord inte hungra även om man

based delicacies of the Mediterranean can be found all over the country and the dishes of the Asian kitchen will soon be found everywhere.

Nevertheless, classical homely fare can still whet the appetite. Homemade rissoles with onions and pea soup with small pancakes can make anyone's mouth water. Who can say no to potato pancakes with fried pork or knuckle of pork with mashed turnips and potatoes? Stuffed cabbage roll, potato dumplings with chopped

einflusst und den Geschmack internationalisiert.

Die klassische Hausmannskost prägt aber noch immer den Geschmack der Schweden. Hacksteak mit Zwiebeln oder Erbsensuppe mit kleinen Eierkuchen lassen allen das Wasser im Munde zusammenlaufen. Wer sagt schon nein zu Reibekuchen mit gebratenem Speck oder Eisbein mit Kohlrübenpüree? Noch immer ziehen Kohlrouladen, Kartoffelklöße mit Speckfüllung, gebratener Hering mit Kartoffelbrei

des suédois à l'étranger ont eu une influence sur leurs habitudes alimentaires et ont internationalisé le goût. Des délices à base d'huile d'olive des pays méditérranéens se trouvent partout dans le pays tout comme les produits des cuisines asiatiques.

La cuisine bourgeoise classique garde pourtant toujours une longueur d'avance. Le bifteck aux oignons et la soupe aux pois jaunes suivie de crêpes galettes de pommes de terre avec du lard grillé ou au petit salé avec une

STEKT STRÖMMING *Fried Baltic herring*

FLÄSKPANNKAKA *Pork pancake with lingonberries*

ROTMOS & FLÄSKLÄGG *Knuckle of pork and mash*

ÄRTSOPPA *Pea soup with pork*

RÅRAKOR *Potato pancakes*

GRAVAD LAX *Raw spiced salmon*

inte går flera varv runt smörgåsbordet.

I de senaste årens bidrag till tävlingen om Årets svenska nationalrätt upptäcker man en matglädje av hisnande slag. Till alla vinnarrätter genom åren skall också läggas en mängd härliga rätter tillagade av en ny skicklig kockgeneration, som visar vilken bredd och kvalitet svensk mathållning numera kan visa upp.

pork filling, fried fillets of Baltic herring with mashed potatoes and coarsely-ground smoked sausages with potatoes in white sauce can still attract people to the dinner table. A tasty roast of elk is one of autumn's delights. In other words, you don't have to go hungry.

Looking at the last few years' entries to the competition for the Swedish National Dish of the Year one discerns a breathtaking joy of food. A new, skilled generation of chefs, show the breadth

und Griebenwurst mit Stampfkartoffeln die Menschen an den gedeckten Tisch, ebenso wie ein guter Elchbraten.

In den letzten Jahren waren die jährlichen Wettbewerbe um das schwedische Nationalgericht von einer Schwindel erregenden Freude am Kochen gekennzeichnet. Zu allen Siegergerichten gesellten sich im Laufe der Jahre auch eine Vielzahl herrlicher Kreationen einer neuen begabten Generation von Köchen, die von der heutigen Breite und

purée de rutabagas? Le chou farçi, les "kroppkakor", les petits harengs frits accompagnés de la purée de pommes de terre ainsi que les "isterband" aux pommes de terre à la sauce blanche attirent les gens vers les tables dressées. Un bon rôti d'élan fait partie des joies de l'automne. En d'autres mots, on ne mourra pas de faim.

Parmi les contributions au Concours du Plat National Suédois de l'Année, on trouve un exploit culinaire hors du commun. Il faut ajouter à tous les plats

and quality of Swedish cuisine these days.

Qualität der schwedischen Küche zeugen.

gagnants depuis des années une quantité de mets cuisinés par une nouvelle génération de cuisiniers doués qui montre la large gamme et la qualité de la nouvelle cuisine d'aujourd'hui.

MUSIK FÖR MILJONER

Musik har blivit en av landets viktigaste exportvaror. På den klassiska sidan har två stora artister dragit ära och berömmelse över Sverige. Den första är Kristina Nilsson, den småländska sångfågeln som med sin röst tjusade en hel värld. Den andra är Jussi Björling, operagiganten som älskades överallt där det fanns en operascen eller grammofoner med sköra stenkakor. Jussi Björling efterträddes av Birgit Nilsson, som blev en av tidens mest bejublade Wagnersångare och gjorde succé på världens ledande operascener. Ann-Sofi von Otter tillhör den nya generationen av sångartister.

På den populärmusikaliska sidan hände stora saker i slutet av 1900-talet. Få kunde väl ana

MUSIC FOR MILLIONS

Music has become one of Sweden's most important exports. On the classical side two major artists have brought glory and renown to Sweden. The first is Kristina Nilsson, the song-bird from Småland, who has delighted a whole world with her voice. The second is Jussi Björling, the opera giant who was adored wherever there was an opera stage or a gramophone with fragile 78s.

Birgit Nilsson, who was one of her time's most celebrated singers of Wagner and who scored a success on the world's leading opera stages, succeeded Jussi Björling. Ann-Sofi von Otter belongs to the new generation.

MUSIK FÜR MILLIONEN

Musik hat sich zu einem der wichtigsten schwedischen Exporterzeugnisse entwickelt. Im Bereich des klassischen Gesangs haben zwei große schwedische Künstler für Ruhm und Ehre gesorgt – Kristina Nilsson, der Singvogel aus Småland, der mit seiner Stimme die ganze Welt verzauberte und Jussi Björling, der Operngigant, der überall, wo es eine Opernbühne oder Grammofone gab, umjubelt wurde.

Er wurde von Birgit Nilsson abgelöst, eine der berühmtesten Wagnerinterpretinnen ihrer Zeit. Als Vertreterin der neuen Generation von Gesangskünstlern sei Ann-Sofi von Otter genannt.

MUSIQUE POUR DES MILLIONS

La musique est devenue un des produits d'exportation les plus importants du pays. Côté classique, deux grands artistes ont donné gloire et réputation à la Suède. La première est Kristina Nilsson, l'oiseau chanteur de Småland qui a séduit le monde entier avec sa voix. L'autre est Jussi Björling le géant de l'opéra.

Jussi Björling a été suivi par Birgit Nilsson, une des chanteuses de Wagner les plus applaudies de notre époque et qui a eu du succès sur les plus grandes scènes

__KONSERT PÅ GÄRDET__ i Stockholm. Nationalskalden Evert Taubes staty och Stockholms-operan. __A CONCERT ON GÄRDET,__ Stockholm. The statue of the national poet Evert Taube and the Royal Opera, Stockholm. __KONZERT AUF GÄRDET__ in Stockholm. Das Denkmal des Nationalpoeten und Sängers Evert Taube und die Stockholmer Oper. __CONCERT SUR GÄRDET__ à Stockholm. La statue d'Evert Taube, poète national, et l'opéra de Stockholm.

att världen skulle erövras av svenska artister som ABBA, Roxette, Robin, Ace of Base, Europe och Cardigans för att nämna några. Nya grupper poppar ständigt upp.

Stockholm är det nav som allt vrider sig runt. Här finns de studios, produktionsbolag och skivförlag som skapar de attraktiva klangerna som inte bara lockar till sig svenska musiker och artister. Hit kommer artister med stjärnstatus för att spela in sina alster och för att få det speciella sound som gett framgång på den internationella musikmarknaden.

Much occurred on the pop music front at the end of the 20th century. Few could imagine that the world would be conquered by Swedish artists such as ABBA, Roxette, Robin, Ace of Base, Europe and the Cardigans, to name but a few. New groups pop up all the time.

Stockholm is the hub around which everything centres. The studios are here; the production companies and the record companies that create the appealing tones that don't just attract Swedish musicians and artists. Artists with star status come to Stockholm to record their songs and to get that special sound that has given success on the international music market.

In der Popmusik geschah am Ende des 20. Jahrhunderts Erstaunliches. Wenige konnten wohl ahnen, dass schwedische Künstler wie ABBA, Roxette, Robin, Ace of Base, Europe und The Cardigans die Welt erobern würden. Ständig stehen neue Bands im Rampenlicht.

Stockholm ist die Achse, um die sich alles dreht. Hier befinden sich die Studios, Produktionsgesellschaften und Plattenfirmen, die die attraktiven Klänge hervorzaubern, die nicht nur schwedische Musiker und Künstler anlocken, sondern auch internationale Stars.

d'opera du monde. Ann-Sofi von Otter appartient à la nouvelle génération de chanteuses lyriques.

Des évènements importants sont arrivés côté musique populaire vers la fin du vingtième siècle. Peu de personnes se seraient douté que le monde serait conquis par des artistes suédois tels qu'ABBA, Roxette, Robin, Ace of Base, Europe et Cardigans pour n'en nommer que quelques-uns.

Stockholm est la plaque tournante de tout ce qui bouge. Ici se trouvent des studios, des compagnies de production et des éditeurs de disques; ceux-ci créent des sons qui n'attirent pas seulement les musiciens et artistes suédois mais aussi des vedettes qui viennent ici pour jouer leurs oeuvres.

Sommarnatten

Summer nights / Die Sommernacht / La nuit d'été

FÅ FÖRETEELSER I DEN svenska naturen förundrar mer än Sveriges ljusa sommarnätter. Den som är van att leva i miljöer där det blir kolsvart varje kväll när solen går ner har en sensation att uppleva i Norden. Från midsommar och några veckor framåt blir det aldrig riktigt mörkt. Solen går upp men aldrig ner, något som kan upplevas på orter som ligger på eller ovanför polcirkeln. Möjligheterna att se solen vid midnatt beror, förutom latituden, även på lokala förhållanden, höjden över havet och horisontens utseende. Varje turistinformation vet var de fina utsiktsplatserna finns där man upplever att solen vandrar vidare på sin bana fullt synlig natten igenom. Kiruna har ett utsiktsberg där man kan uppleva sensationen med solljus på "fel" tid på dygnet – om molnen håller sig borta.

Den svenska sommarnatten

FEW FORCES IN Swedish nature are more astounding than Sweden's light summer nights. Those who are used to living in environments where it becomes pitch black every evening once the sun has set will witness a sensation in the Nordic region. From midsummer and a few weeks thereafter, it never becomes truly dark. The sun rises but never sets, as can be witnessed in places that either lie on or above the Arctic Circle. Besides the latitude, the possibility of seeing the sun at midnight also depends on local conditions, the height above sea level and the angle of the horizon. Every tourist information centre knows where the best viewing points are, where one can witness the sun visibly moving on its course throughout the night. Kiruna has a viewing point on a hill where one can experience the sensation of sunshine

WENIGE NATURERSCHEINUNGEN Schwedens verzaubern mehr als die hellen Sommernächte. Menschen aus Gegenden, in denen es jeden Abend kohlrabenschwarz wird, können im Norden eine Sensation erleben. Nach Mittsommer wird es einige Wochen lang nie richtig dunkel. Die Sonne geht auf, aber niemals unter – eine Erscheinung, der man auf und über dem Polarkreis begegnen kann. Die Möglichkeiten, die Sonne um Mitternacht zu sehen, hängen außer vom Breitengrad auch von den örtlichen Gegebenheiten ab, von der Höhe über dem Meeresspiegel und von der Silhouette des Horizonts. Jede Touristeninformation kennt die schönsten Aussichtspunkte.

Das spezielle, eine besondere Stimmung verbreitende Licht des Sommerhalbjahres hat die Menschen zu allen Zeiten fasziniert. Am vielleicht schönsten hat

IL Y A PEU de phénomènes dans la nature suédoise qui vous émerveillent d'avantage que les nuits claires d'été. Celui qui a l'habitude de vivre dans un milieu où chaque soir, au coucher du soleil, la nuit est noire comme dans un four, aura une découverte à faire dans les pays nordiques. A partir de la Saint-Jean et pendant quelques semaines, il ne fait jamais tout à fait nuit. Le soleil se lève mais ne se couche pas, un phénomène auquel on peut assister dans des localités situées près ou au-dessus du cercle polaire. La possibilité de voir le soleil à minuit dépend, en plus de la latitude des lieux, de la hauteur au-dessus de la mer et de l'aspect de l'horizon. Chaque syndicat d'initiative sait où se trouvent les sites d'observation qui permettent de suivre toute la nuit le trajet du soleil. A Kiruna, il y a une montagne d'observation où l'on peut jouir du spectacle

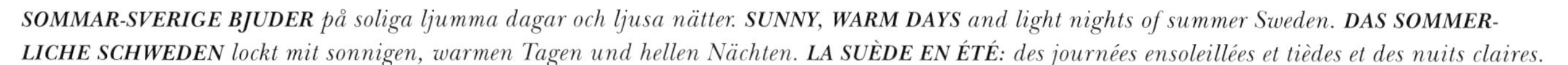

***SOMMAR-SVERIGE BJUDER** på soliga ljumma dagar och ljusa nätter.* ***SUNNY, WARM DAYS** and light nights of summer Sweden.* ***DAS SOMMERLICHE SCHWEDEN** lockt mit sonnigen, warmen Tagen und hellen Nächten.* ***LA SUÈDE EN ÉTÉ:** des journées ensoleillées et tièdes et des nuits claires.*

handlar inte bara om synlig midnattssol. Det speciella stämningsskapande ljuset som sommarhalvåret bjuder på har i alla tider fascinerat människor. Den kanske finaste målningen av detta ljus har fångats av Anders Zorn i *Midsommardans* från 1897. I det trolska ljuset dansar festklädda par i dalamiljö. Den blomsterklädda midsommarstången är rest, man känner att det är fest och spänning bland gårdshusen där dansen går till tonerna av spelmännens fioler. Mästerligt har Zorn fångat ljuset i människornas ansikten. Den ljusa

at the "wrong" time of day – provided the clouds stay away.

The Swedish summer night is not just about a visible midnight sun. The special atmospheric light found during the summer half of the year has fascinated people throughout the ages. Perhaps Anders Zorn caught this light best in his painting *Midsummer Dance* from 1897. Couples in folk costume dance in a Dalecarlian landscape in the magical light. The maypole dressed with flowers is in place; one senses the festivity and animation in the courtyard where fiddlers

der Maler Anders Zorn dieses Licht in seinem Gemälde *Midsommardans* („Mittsommertanz") aus dem Jahr 1897 gefangen. In dem verzaubernden Licht tanzen festlich gekleidete Paare in einer für die Provinz Dalarna typischen Umgebung. Der blumengeschmückte Mittsommerbaum ist aufgerichtet, man spürt Feststimmung zwischen den einzelnen Gebäuden des Bauernhofes, wo zu den Tönen der Geigen der Spielleute getanzt wird. Die helle Sommernacht findet sich auch im Film *Sommarnattens leende* („Das Lächeln einer

donné par la lumière du soleil au "mauvais" moment – si les nuages se tiennent à l'écart.

La nuit d'été n'est pas seulement l'occasion de voir le soleil à minuit. Les mois d'été offrent la lumière speciale qui crée une ambiance qui, de tout temps, a fasciné les hommes. Le tableau, qui a traduit peut-être de la meilleure façon cette lumière, a été peint en 1897 par Anders Zorn dans "Danse de la Saint-Jean". Des couples en habits de fête dansent dans une lumière féerique. Le mât, habillé de fleurs – le "mai" – est dressé, on sent que

sommarnatten finns också fångad i Ingmar Bergmans film *Sommarnattens leende.*

På senare år har ljuset tagits i praktiskt bruk i bland annat Tornedalen av grönsaksodlare som lärt sig utnyttja det för intensivodling dygnet runt. I stora växthus växer tomater och gurkor i rasande fart. Grönsakerna är bland de godaste som går att få tag på och är mycket eftertraktade.

VÄDRET

Sveriges klimat ägnas stor omsorg, både av oss som bor här men också av människor som gästar

accompany the dance. Zorn has caught the light reflected in the faces in a masterly fashion. The light summer night is also captured in Ingmar Bergman's film "*Smiles of a Summer Night*".

In recent years the light has been used in a practical fashion in Tornedalen, amongst other places, by vegetable growers who have learnt to exploit it in order to cultivate intensively day and night. Tomatoes and cucumbers grow at a furious pace in huge greenhouses. The vegetables are among the best to be found and are much coveted.

Sommernacht") von Ingmar Bergman wieder.

Seit einigen Jahren wird das Licht auch praktisch genutzt. So betreiben beispielsweise Gemüsebauern in Tornedalen einen 24-stündigen Intensivanbau von Gemüse. In großen Gewächshäusern gedeihen nun in sehr kurzer Zeit Tomaten und Gurken. Das Gemüse gehört zum geschmacklich Besten überhaupt und ist heiß begehrt.

DAS WETTER

Lassen Sie uns etwas genauer auf das Thermometer schauen und

c'est la fête dans la cour de ferme, où l'on danse au son des violoneux. La nuit lumineuse de l'été a été décrite aussi dans le film d'Ingmar Bergman *"Sourire d'une nuit d'été"*.

Des cultivateurs de légumes de Tornedalen, entre autres, ont appris à utiliser la lumière pour faire de la culture intensive de jour comme de nuit. Des tomates et des concombres poussent ici dans des grandes serres à une vitesse incroyable. Ces légumes sont parmi les meilleurs du marché et sont très recherchés.

landet. Låt oss titta litet närmare på termometern och förutsättningarna för landet som ligger på ungefär samma breddgrad som södra Grönland, Sibirien och Alaska.

På Stockholms breddgrad är jordens medeltemperatur i januari -15°C. I Stockholm är motsvarande siffra bara -2,9°C och vid svenska västkusten kring nollstrecket. Detta visar att Sverige trots läget har ett milt klimat tack vare Atlanten och Golfströmmen och de lågtrycksbanor som för med sig uppvärmda och fuktiga vindar. I ett långsträckt land

THE WEATHER

Much attention is paid to Sweden's climate, both by those who live in the country and those who visit. Let us take a closer look at the thermometer and the conditions for the country that lies at approximately the same latitude as southern Greenland, Siberia and Alaska.

The earth's average temperature in January at Stockholm's latitude is -15°C. In Stockholm the corresponding temperature is only -2.9°C and along the Swedish west coast it is around zero. This shows that Sweden, despite

auf die Bedingungen eines Landes, das auf etwa demselben Breitengrad liegt wie Südgrönland, Sibirien und Alaska.

Im Januar beträgt die weltweite Durchschnittstemperatur auf dem Breitengrad von Stockholm -15°C. In Stockholm aber liegt sie nur bei -2,9°C und an der schwedischen Westküste um Null Grad. Schweden hat also trotz seiner geographischen Lage ein mildes Klima und verdankt dies dem Atlantik, dem Golfstrom und den Tiefdruckgebieten, die warme und feuchte Luft mit sich führen. In einem

LE TEMPS

Jettons un coup d'oeil au thermomètre et aux conditions climatiques du pays situé à une latitude voisine de celles du sud du Grönland, de la Siberie et de l'Alaska.

A la latitude de Stockholm, la température moyenne de la terre au mois de janvier est de -15°C. A Stockholm, la température correspondante est seulement de -2,9°C et sur la côte ouest de la Suède, elle se situe aux alentours de zéro. Ceci montre que la Suède, malgré sa situation géographique, a un climat doux grace à l'Atlantique et au Gulf-

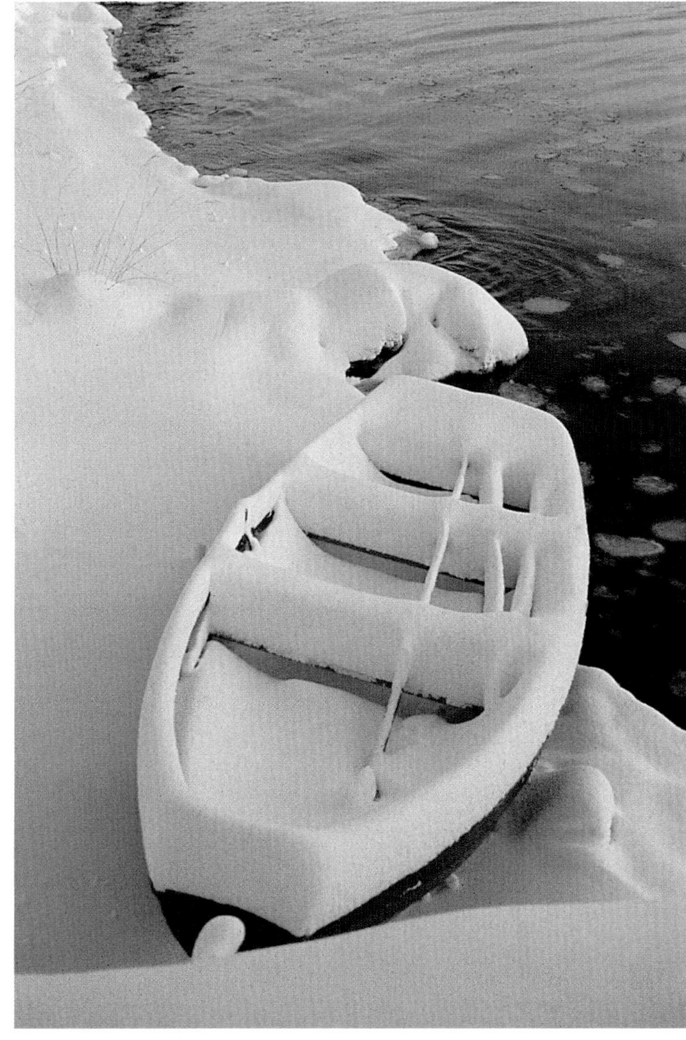

som Sverige får man uppleva ett klimat som varierar drastiskt. I till exempel april månad när vårblommorna prunkar i söder, kan orter i norr visa köldnätter med temperaturer nedåt -20°C. Det finns risk för frostnätter långt in på sommarhalvåret. Vintern varar i norr över sju månader och man noterar -40°C eller lägre åtminstone någon gång per säsong. Det svenska köldrekordet på -53,3°C uppmättes i Malgovik i södra Lappland år 1941.

Sommartemperaturerna är likartade i hela landet med två månaders rejäl sommar i norr

its location, has a mild climate thanks to the Atlantic Ocean and the Gulf Stream and the low-pressure paths that bring warm and moist winds. In a long country such as Sweden one can experience a climate that varies drastically. For example, in April, when the spring flowers are resplendent in the south, places in the north can report cold nights with temperatures falling to -20°C. There is a risk of night frost far into the summer half of the year. Winter in the north lasts over seven months and temperatures of

langgestreckten Land wie Schweden weist das Klima drastische Variationen auf. Im April, wenn im Süden die Frühblüher in voller Blüte stehen, können im Norden noch Nächte mit Temperaturen von bis zu -20°C auftreten. Die Gefahr des Bodenfrosts besteht bis weit in das Sommerhalbjahr hinein. Der Winter dauert im Norden mehr als sieben Monate. Der schwedische Kälterekord liegt bei -53,3°C, gemessen im Jahr 1941 in Malgovik in Südlappland.

Die Sommertemperaturen weisen landesweit keine größeren

stream et aux passages de dépressions qui apportent des vents chauds et humides. Dans un pays aussi étendu, on a un climat ayant des variations drastiques. Au mois d'avril, certains endroits dans le nord peuvent encore avoir des gelées nocturnes accompagnées de températures frisant les -20°C. Ce risque dure encore pendant plusieurs mois. L'hiver dure plus de sept mois au nord; au moins une fois par saison, on note -40°C ou encore moins. Le record de froid suédois est de -53,3°C qui a été mesuré à Malgovik dans le sud de la Laponie en 1941.

och fem månaders härligt klimat i söder. Det svenska värmerekordet fick år 1933 kvicksilvret att krypa upp till +38°C. Statistiskt sett regnar det mest i juli och augusti med starka lokala variationer. Ett solrikt område är kusten nära Piteå i Bottenviken. Ett annat är Abisko i norra Lappland. Här är ljuset nästan arktiskt och landskapet imponerande. Speciellt sevärd är Abiskojokkas djupa kanjon. Området

-40°C or lower are recorded at least once per season. The Swedish cold record of -53.3°C was noted in Malgovik, southern Lapland in 1941.

Summer temperatures are similar throughout the country with two months of pure summer in the north and five months with a delightful climate in the south. The coastal area close to Piteå in Bottenviken enjoys a lot of sunshine. Another area is

Unterschiede auf. Der Norden erfeut sich eines zweimonatigen Sommers, der Süden kann mit fünf Monaten herrlichen Klimas aufwarten. Der schwedische Wärmerekord ließ 1933 das Quecksilber auf +38°C ansteigen. Statistisch gesehen fallen die höchsten Niederschlagsmengen im Juli und August. Zwei sonnenreiche Gebiete sind die Küste bei Piteå am Bottnischen Meerbusen und Abisko in Nordlappland.

Les températures d'été se ressemblent à travers tout le pays. Le record suédois de chaleur a fait grimper le mercure jusqu'à +38°C en 1933. Selon les statistiques, il pleut le plus au mois de juillet et août avec des grandes variations locales. Il y a une région qui est très ensoleillée sur la côte près de Piteå dans le golfe de Botnie. Un autre de ces endroits est Abisko dans le nord de la Laponie. Ici la lumière est

MÄKTIGA FJÄLL *i Lappland. Vita stenar markerar polcirkeln.* ***MAJESTIC FELLS*** *in Lapland. White stones mark the Arctic Circle.* ***MÄCHTIGE GEBIRGSMASSIVE*** *in Lappland. Weiße Steine markieren den Polarkreis.* ***DES MONTAGNES IMPOSANTES*** *en Laponie. Des pierres blanches pour marquer le cercle polaire.*

är lättillgängligt med rik flora och fauna.

När solen skiner är livet skönt i Sverige. Vår fascination för sommaren har bidragit till att vi diktar visor om denna ljuva tid. Inget land i världen lär ha så många sånger som handlar om sommaren. När nordanvinden sveper snö kring våra hus och sjöar och vattendrag fryser till is, längtar vi efter den årstid som bjuder på skön värme, härliga

Abisko is northern Lapland. The light is almost Artic here and the landscape impressive. Abiskojokka's deep canyon is well worth seeing. The area is easily accessible with a rich flora and fauna.

Life is good in Sweden when the sun shines.When the northerly wind sweeps snow around the corners of the houses and lakes and watercourses freeze to ice, Swedes long for the season

Unsere Faszination für den Sommer hat dazu beigetragen, dass wir dieser lieblichen Zeit des Jahres viele Lieder widmen. Wenn die nördlichen Winde Schnee um unsere Häuser wehen und Flüsse und Seen zu Eis erstarren, sehnen wir uns nach der Jahreszeit der Wärme, herrlicher Schwimmvergnügen und des Sonnenbads auf warmen Felsen. Im Norden Schwedens ist der Frühling gekommen, wenn die

presque arctique et le paysage imposant. Ce qui mérite particulièrement d'être vu est le canyon profond d'Abiskojokka. L'endroit est d'accès facile et possède une flore et une faune riche.

Il fait bon vivre en Suède quand le soleil brille. Il paraît qu'il existe aucun autre pays au monde qui possède autant de chansons qui parlent de l'été. Quand le vent du nord enveloppe nos maisons de neige et que lacs et cours

DRÖMFISKE I TÄRNAFJÄLLEN. *Solnedgång på Sveriges västkust.* ***DREAM FISHING*** *in Tärnafjäll. Sunset on Sweden's west coast.* ***ANGLERPARADIES*** *Tärnafjällen. Sonnenuntergang an der Westküste.* ***PÊCHE MIRACULEUSE*** *dans Tärnafjällen. Coucher de soleil sur la côte ouest.*

simturer och solbad på varma klippor. Riktigt påtagligt är detta i norra Sverige. Våren räknas från den tidpunkt när dygnets medeltemperatur är högre än +0°C. När den efterlängtade tiden kommer sker allt fort. Värmen stiger, snödrivorna smälter, sjöar och vattendrag kastar av sig sitt istäcke, vegetationen skjuter skott och allt lever upp i en takt som är lika fascinerande varje år. Där man färdades på skidor för bara några veckor sedan breder

that offers pleasant warmth, a delightful swim and sunbathing on warm rocks. This is truly noticeable in northern Sweden. Spring begins from the date when the average daily temperature is above +0°C. When the eagerly awaited season arrives everything happens at once. The temperature rises and the snow-drifts melt. A carpet of flowers spreads out where just a few weeks ago people skied. Many of the some 40 orchid varieties that

Tagesmitteltemperaturen 0°C übersteigen. Die Schneemassen schmelzen, die Gewässer befreien sich von ihrem Eispanzer, die Vegetation erwacht und alles blüht in einem Tempo auf, das jedes Jahr gleichermaßen fasziniert. Wo man vor nur wenigen Wochen Ski gelaufen ist, breitet sich nun eine wunderschöne Blumenwiese aus. In den kalkreichen Gebieten der Inseln Öland und Gotland findet man viele der in Schweden vorkom-

d'eau sont gelés, nous languissons la période de l'année qui nous offre une bonne chaleur. Ceci est particulièrement vrai dans le nord de la Suède. Là, on considère que le printemps commençe quand la température moyenne s'elève audessus de +0°C. Quand cette époque tant souhaitée arrive, tout va très vite. La chaleur augmente, les congères fondent, les lacs et les cours d'eau rejettent leur couverture de glace; la végétation commençe

nu en blomsterfägring ut sig. I de kalkrika områdena på öarna Öland och Gotland återfinner man många av de 40-tal orkidéarter som växer i Sverige. Kanske är det denna förvandling i naturen som lockar så många centraleuropéer till Sverige.

grow in Sweden can be found once more in the calcium-rich areas on the islands of Öland and Gotland. It is perhaps this transformation that attracts so many Central Europeans to Sweden.

menden etwa 40 Orchideenarten wieder. Vielleicht ist es diese Verwandlung der Natur, die so viele Mitteleuropäer nach Schweden lockt.

à bourgeonner et tout se met à vivre à une vitesse qui, chaque année, est aussi fascinante. Là où seulement il y a quelques semaines, on se promenait à ski s'étend alors une féerie de fleurs. Sur les terres calcaires des iles Öland et Gotland, on retrouve un bon nombre d'orchidées parmi la quarantaine d'espèces qui poussent en Suède. Peut-être est-ce cette métamorphose de la nature qui attire en Suède tant de touristes d'Europe centrale.

Sveriges huvudstad

The capital of Sweden / Die Hauptstadt Schwedens / La capitale

IBLAND BRUKAR STOCKHOLM kallas Nordens Venedig, kringfluten som staden är av vatten – *Saltsjön* utanför slussarna med direktkontakt med *Östersjön* och *Mälaren* innanför. Jämförelsen i vattenkvalitet vinns av Stockholm. Här kan man efter flitigt reningsarbete bada i *Riddarfjärden* mitt i centrum. Teoretiskt skulle gäster i Stockholms stadshus kunna ta sig ett dopp efter lunch, åtminstone sommartid när vattentemperaturen känns angenäm.

I Stockholm bor drygt en miljon människor och staden växer ständigt. Namnet Stockholms ursprung har länge varit omtvistat. En skröna berättar om hur den närbelägna medeltidsstaden Sigtuna i ett kritiskt skede försökte rädda stadens dyrgripar undan plundrare genom att placera dem i en ihålig stock och låta den flyta iväg på

STOCKHOLM IS SOMETIMES called the Venice of the North, surrounded as the city is by water – *Saltsjön*, outside the sluices, running directly into the Baltic, and *Lake Mälaren* inside. Water quality comparisons are won by Stockholm. Following the sterling work that has gone into cleaning the water, it is possible to bathe in *Riddarfjärden*, in the middle of the city. Theoretically, guests to Stockholm City Hall could take a dip after lunch; at least during the summer when the water temperature is pleasant.

More than one million people live in Stockholm and the city is constantly growing. The origins of the name Stockholm have long been disputed. One tall story tells of how the neighbouring medieval town of Sigtuna at a critical point tried to save the town's treasures from plunderers by placing them in a hollow

MANCHMAL WIRD Stockholm als Venedig des Nordens bezeichnet, denn die Stadt ist von Wasser umgeben – vom *Saltsjön* mit direktem Zugang zur *Ostsee* außerhalb der Schleusen und dem *Mälaren* im Landesinneren auf der anderen Seite. Einen Vergleich der Wasserqualität gewinnt Stockholm. Nach umfassenden Reinigungsarbeiten kann man hier in der Bucht *Riddarfjärden* mitten im Zentrum der Stadt wieder baden.

In Stockholm leben etwas über eine Million Einwohner, und täglich werden es mehr. Der Ursprung des Stadtnamens war lange umstritten. Eine Geschichte berichtet von dem Versuch der nahe gelegenen mittelalterlichen Stadt Sigtuna, ihre Schätze in einer unsicheren Zeit vor Plünderern zu retten, indem man sie in einem ausgehöhlten Baumstamm (stock) versteckte

PARFOIS ON APPELLE Stockholm la Venise du nord parce que la ville est entourée d'eau – *Saltsjön* à l'exterieur des écluses où le contact est direct avec la *Baltique* et *Mälaren* à l'intérieur. Stockholm est la championne de la qualité de l'eau. Après un travail énorme d'assainissement on peut se baigner en plein centre de la ville, dans *Riddarfjärden*.

Il y a plus d'un million d'habitants à Stockholm et la ville continue à grandir. L'origine du nom de Stockholm a été longtemps débattue. Une légende populaire raconte comment, à l'occasion d'un évènement dramatique, la ville moyennageuse Sigtuna, située à proximité, a essayé de sauver les trésors de la ville en proie aux pillards en les plaçant dans un tronc (stock) creux et laissé celui-ci dériver avec les courants du Mälar. Quelque temps après, le tronc a aterri sur un ilôt (holme)

UTSIKT FRÅN STADSHUSTORNET *med Gamla stan i förgrunden.* ***VIEW FROM THE*** *tower at City Hall with Gamla stan in the foreground.* ***BLICK VOM TURM*** *des Stockholmer Rathauses, im Vordergrund die Altstadt Gamla stan.* ***VUE DE STADSHUSET*** *avec, au premier plan, Gamla stan.*

Mälarens strömmar. Så småningom landade stocken på en holme som i dag är känd som Gamla stan. Det är inte långsökt att tro att just den platsen blev Stockholmen. Så skulle det alltså ha gått till när Sveriges huvudstad fick sitt namn. Mindre dramatiskt och kanske mera troligt är teorin att staden uppkallades efter den stock eller påle som bildade det synliga gränsmärket mellan landskapen Södermanland och Uppland.

Besökare i huvudstaden slås ofta av Stockholms renhet.

stock and letting it float away on Lake Mälaren's currents. The stock eventually came to rest on a holm that is today known as Gamla stan, the old town. It is not too far-fetched to believe that it was just this site that became Stockholm. So, this then is how Sweden's capital may have got its name. Less dramatic and perhaps more credible is the theory that the city was named after the stock or post that formed the visible borderline between the counties of Södermanland and Uppland.

Visitors to the capital are often

und diesen dann mit der Strömung des Mälaren davontreiben ließ. Irgendwann wurde der Baumstamm an einer kleinen Insel (holm) an Land gespühlt, auf der sich heute die Stockholmer Altstadt befindet. Weniger dramatisch und vielleicht glaubhafter ist die Theorie, dass die Stadt ihren Namen nach dem Stock oder Pfahl erhielt, der als sichtbare Grenzmarkierung zwischen den Landschaften Södermanland und Uppland diente.

Besucher der Hauptstadt sind oft über die architektonische

que l'on connaît aujourd'hui comme Gamla stan. La conclusion que cet endroit-là, justement, s'appellerait Stockholmen n'est pas tiré par les cheveux. Voilà comment la capitale de la Suède aurait reçu son nom. Une explication moins romanesque et peut-être plus plausible est que la ville a reçu son nom d'après le "stock" ou pieux qui marquait la frontière entre les provinces de Södermanland et d'Uppland.

Celui qui visite la capitale est souvent frappé par la pureté de Stockholm. Les essais de contruc-

Försöken att bygga ett höghus-dominerat centrum mitt i staden har bara resulterat i en stadsbebyggelse med en handfull hus med måttliga våningshöjder. Trots omfattande rivningar för några årtionden sedan har staden i stort bevarat sin karaktär och luftiga stil. Till detta bidrar parker och grönområden. Några stenkast från city ligger det stora parkområdet *Djurgården* med friluftsmuséet *Skansen* och nöjesparken *Gröna Lund*. Området i *Hagaparken* rymmer en ekopark med rikt växt- och djurliv. Här

struck by the cleanness of Stockholm. Attempts to build a centre dominated by high-rise buildings have merely resulted in an urbanized area with a handful of buildings of modest height. Despite extensive demolition a few decades ago the city has, in the main, kept its character and airy style. Parks and green areas contribute to this. Just a stone's throw from the city lies the park area of *Djurgården* with the open-air museum *Skansen* and the *Gröna Lund* fairground. *Haga Park* contains an eco park rich in

Einheitlichkeit der Stadt begeistert. Trotz umfassender Abrisse vor einigen Jahrzehnten hat die Stadt ihren Charakter und den luftigen Stil im Großen und Ganzen bewahrt. Dazu tragen auch die Parks und Grünflächen bei. Unweit der Innenstadt liegt der große Park *Djurgården* mit dem Freilichtmuseum *Skansen* und dem Vergnügungspark *Gröna Lund*. Der *Hagaparken* umfasst einen Ökopark mit reicher Flora und Fauna. Hier leben 250 Vogelarten. Ab und zu kann man ganz in der Nähe der Stadtbe-

tion d'un centre ville dominé par des tours n'ont eu comme résultat qu'une poignée de bâtiments de taille raisonnable. La ville a presque partout gardé son caractère et son style aéré. Les parcs et espaces verts y contribuent. A un jet de pierre du centre ville se trouve le parc *Djurgården* avec le musée de plein air *Skansen* et le parc d'attractions *Gröna Lund*. Dans *Hagaparken* il y a de la place pour un "ecoparc" abritant de nombreux animaux au milieu de plantes diverses. On y trouve 250 espèces d'oiseaux. De temps en

***GLOBEN, STOCKHOLMS STADSHUS** och segling på Strömmen. **THE GLOBE, STOCKHOLM** City Hall and sailing in Strömmen. **GLOBEN, STOCKHOLMER RATHAUS,** Segeln auf Strömmen. **LE GLOBE, STADSHUSET** et des bateaux à voile sur Strömmen.*

finns 250 fågelarter. Då och då kan man se rådjur, grävlingar, rävar och harar nära inpå storstadsbebyggelsen. De stora rovdjuren varg och björn hör däremot hemma i norr. Vargstammen i Sverige ökar och björnar hör hemma i Norrlands skogar.

Stockholm internationaliseras på många olika sätt och i staden finns allt man kan drömma om. I *Mälardrottningen*, som Stockholm ofta kallas, finns ett koncentrat av allt det bästa. Hotell-

flora and fauna. There are 250 species of birds in the park. Roe deer, badgers, foxes and hares can be seen now and again close to the urbanized area. However, the wolf and the bear, the large beasts of prey, belong in the north. The wolf pack in Sweden is increasing and bears belong to the forests of Norrland.

Stockholm is becoming an international city. The hotel standard is of international top class, restaurant and pub life too

bauung Rehe, Dachse, Füchse und Hasen sehen. Die großen Raubtiere wie Wölfe und Bären sind im Norden Schwedens zu Hause, Bären hauptsächlich in den Wäldern Norrlands.

In *Mälardrottningen*, der „Königin des Mälaren", wie Stockholm auch genannt wird, findet man das Beste in konzentrierter Form. Der Hotelstandard entspricht der internationalen Spitzenklasse, gleiches gilt für die Gastronomie. Das Angebot

temps, on peut y voir des daims, des blaireaux, des renards et des lièvres tout près des habitations de la grande ville. Mais les grands prédateurs comme le loup, dont le nombre est en augmentation et l'ours sont chez eux dans les forêts de Norrland.

Stockholm est une ville internationale; on y trouve tout ce que dont on peut rêver. *Mälardrottningen,* comme on l'appelle souvent vous offre un concentré de ce qu'il y a de mieux. Les hôtels

STRANDVÄGSKAJEN *vid Nybroviken.* ***STRANDVÄGSKAJEN*** *at Nybroviken.* ***STRANDVÄGSKAJEN*** *bei Nybroviken.* ***LE QUAI DE STRANDVÄGEN*** *à Nybroviken.*

standarden når internationell toppklass, restaurang- och kroglivet likaså och underhållningsbranschen erbjuder program i alla tänkbara former. Konst- och kultursektorn bjuder på upplevelser och museiutbudet tillfredsställer de flesta smakriktningar.

MÄLARDALEN

Går man utanför Stockholm finns också mycket intressant att se. Det är självklart en utmaning att påstå att Mälardalen med en

and the entertainment business offers programmes of every imaginable form. The art and culture sector offers much and the range of museums satisfies most tastes.

MÄLARDALEN

There is also much of interest to be seen if one travels out of Stockholm. It is obviously provocative to assert that Mälardalen, with a number of towns, is Sweden's most interesting and

der Unterhaltungsbranche umfasst Programme verschiedenster Art, Kunst und Kultur locken mit Erlebnissen, und bei der großen Auswahl an Museen ist für jeden Geschmack etwas dabei.

MÄLARDALEN

Natürlich ist es eine Herausforderung zu behaupten, Mälardalen mit einer Reihe von Städten sei die interessanteste und wichtigste geographische und kulturelle Region Schwedens. Dennoch hat

sont de tout premier ordre international, les restaurants et les bars également ainsi que les lieux des divertissements qui offrent toutes sortes de programmes. Dans les musées, les expositions satisfont les goûts de presque tout le monde.

MÄLARDALEN

En sortant de Stockholm, il y a aussi beaucoup à voir. C'est bien entendu un défi de prétendre que Mälardalen – la vallée de Mälaren – avec ses quelques villes serait au

rad städer är Sveriges intressantaste och viktigaste geografiska och kulturella del. Men likafullt har Mälardalen genom sitt geografiska läge nära Sveriges huvudstad ett strategiskt läge. Det är lätt att greppa området runt sjösystemet. Mälardalen är ett rikt ekonomiskt, kulturellt och andligt centrum.

I dag är Mälaren inringad av Europavägarna E4 och E20 på den södra sidan och Europaväg 18 på den norra. Till detta skall fogas ett utvecklat nät av mindre vägar. Vill man beskåda Mälarens

important area geographically and culturally. Nevertheless, Mälardalen, with its geographic location close to Sweden's capital, is strategically placed. It is easy to get the hang of the area around its waterways. Mälardalen is a rich centre economically, culturally and spiritually.

Nowadays Lake Mälaren is encircled by the E4 and E20 roads on the south side and the E18 road on the north. There are also a number of regular boat lines, including steam-powered vessels, should one wish to view

Mälardalen durch seine unmittelbare Nähe zur schwedischen Hauptstadt eine strategisch vorzügliche Lage. Mälardalen ist ein reiches wirtschaftliches, kulturelles und geistiges Zentrum.

Heute ist der Mälaren von den Europastraßen E4 und E20 im Süden und E18 im Norden umschlossen. Außerdem existiert ein gut ausgebautes Netz kleinerer Straßen. Möchte man sich die Idylle des Mälaren Wasserseitig erschließen, stehen dazu eine Vielzahl von Ausflugsbooten zur Verfügung.

point de vue géographique et culturel la partie la plus intéressante. Mais Mälardalen a tout de même, de par sa situation geographique près de la capitale de la Suède, une position stratégique. Il est facile d'avoir un aperçu de la région qui entoure les lacs. Mälardalen est, au point de vue economique, culturel et spirituel, un centre riche.

Mälaren est entouré par les Routes Européennes E4 et E20 côté sud et par la Route Européenne 18 au nord. A ceci, il faut ajouter un réseau développé de

UTSIKT FRÅN SKANSEN *över ett grönskande Stockholm. Kaféliv i Humlegården.* ***VIEW OF A VERDANT*** *Stockholm from Skansen. Coffee-time at Humlegarden.* ***BLICK VON SKANSEN*** *auf ein grünes Stockholm. Caféathmosphäre in Humlegården.* ***LA VILLE DE STOCKHOLM*** *verdoyante, vue de Skansen. Fréquentation des cafés à Humlegården.*

idyller från vattnet finns också ett antal båtlinjer med bland annat ångdrivna fartyg.

Åtskilliga undersökningar av regionen visar att Mälardalen har alla möjligheter att utvecklas till en stark enhet med särställning i norra Europa. Framtiden får utvisa hur det går med Mälardalen i jämförelse med Öresundsregionen. Starka krafter är i rörelse för att ge Malmö-Köpenhamn de fördelar som följer av närheten till den europeiska kontinenten.

the idyllic scenery of Lake Mälaren from the water.

Various surveys of the region show that Mälardalen has every opportunity to develop into a strong zone with a unique position in northern Europe. The future will show how Mälardalen has developed compared to the Öresund region. Strong forces are at work to give Malmö-Copenhagen the advantages that follow with the vicinity to the European continent.

Zahlreiche Untersuchungen haben ergeben, dass Mälardalen alle Möglichkeiten besitzt, zu einer starken Region mit einer Sonderstellung im Norden Europas heranzuwachsen. Die Zukunft wird zeigen, wie sich Mälardalen im Verhältnis zur Öresundregion entwickelt.

DIE STOCKHOLMER SCHÄREN

In Schweden gibt es viele beeindruckende Schärengebiete, im Süden wie im Norden. Die Stockholmer Schären haben Künstler von alters her zu Gedichten,

routes secondaires. Si l'on veut admirer depuis l'eau les vues idylliques de Mälaren, il existe des lignes de bateau avec, entre autres, des bateaux à vapeur.

De nombreuses analyses de la région montrent que Mälardalen possède toutes les possibilités de développement. L'avenir dira quel sera son avenir en comparaison avec la région autour de Öresund. De grands efforts sont déployés pour donner à Malmö-Copenhague les avantages qui viennent de la proximité du continent européen et un réseau de com-

SeaWin

***MILLESGÅRDEN** är en enastående skönhetsupplevelse. Vasamuséet drar årligen stora skaror av besökare. **MILLESGÅRDEN** is a unique aesthetic experience. The Vasa Museum attracts hordes of visitors annually. **MILLESGÅRDEN** ist ein Erlebnis einzigartiger Schönheit. Das Vasamuseum lockt jährlich eine Vielzahl von Besuchern. **MILLESGÅRDEN:** une révélation artistique unique. Le musée de Vasa attire chaque année une foule de touristes.*

STOCKHOLMS SKÄRGÅRD

Sverige har många vackra skärgårdar i både söder och norr. Stockholms skärgård har lockat skalder att dikta och konstnärer att måla i alla tider. Författaren August Strindberg var skärgårdsälskare. Han bodde på många ställen nära havet och hämtade där inspiration och miljöer till kända verk, bland annat romanen *Hemsöborna.*

Det finns många sätt att närma sig Stockholms skärgård, men tur och linjebåtar är det naturligaste eftersom det rör sig om ett vattenområde som rymmer omkring 24.000 öar, skär och kobbar. Det är en av världens örikaste och vackraste skärgårdar med naturliga vattenvägar på sommarhalvåret och isbelagda fjärdar på vintern. Skärgården begränsas till det område som ligger mellan

STOCKHOLM'S ARCHIPELAGO

Sweden has many beautiful skerries both in the south and north. Throughout the ages Stockholm's archipelago has enticed poets to write and artists to paint. The author August Strindberg loved the archipelago and he lived in many different places close to the sea where he found both inspiration and settings for his famous works, including the novel *The People of Hemsö.*

There are many ways to approach the Stockholm archipelago but the most natural method is by boat since this is an area with some 24,000 islands, skerries and rocks. The archipelago is limited to an area that lies between Arholma in the north and Landsort in the south, approximately 150 kilometres. The natural starting point is a quay in the centre of

Liedern und Gemälden inspiriert. Der Schriftsteller August Strindberg liebte die Schären. Er fand dort die Ideen und das Umfeld für berühmte Werke wie z. B. den Roman *Die Leute auf Hemsö.*

Es gibt viele Arten, die Stockholmer Schären kennen zu lernen, doch sind Linien- und Ausflugsboote die natürlichste, da es sich hier um ein Gewässer mit 24 000 Inseln verschiedenster Größe handelt. Das Gebiet der Stockholmer Schären gehört zu den inselreichsten und schönsten Inselwelten der Erde. Die Stockholmer Schären erstrecken sich von Arholma im Norden bis Landsort im Süden auf einer Länge von etwa 15 schwedischen Meilen (150 km). Misst man die Ausdehnung von West nach Ost, beträgt der Abstand ca. 60 km Luftlinie.

munication bien développé au Danemark et au nord de l'Allemagne.

L'ARCHIPEL DE STOCKHOLM

La Suède possède beaucoup de beaux archipels, au nord comme au sud. L'archipel de Stockholm a depuis toujours inspiré les poètes et les peintres. L'auteur August Strindberg aimait l'archipel. Il a cherché l'inspiration et l'environnement de beaucoup d'oeuvres connues, dont le roman *Hemsöborna.*

On peut approcher l'archipel de Stockholm de beaucoup de manières, mais prendre le bateau – sur des lignes régulières ou en excursion – c'est la plus naturelle car il s'agit d'un endroit de la mer qui possède environ 24 000 iles, ilôts et rochers. C'est un des plus beaux archipels au monde et aussi

***STOCKHOLMS SLOTT** i Gamla stan är en stor attraktion liksom skärgården med 25.000 öar.* ***STOCKHOLM'S ROYAL PALACE** in Gamla stan is a major attraction as is the archipelago with its 25.000 islands.*

Arholma i norr och Landsort i söder, cirka 15 svenska mil. Fågelvägen ut till de yttersta skären är cirka 6 mil.

På öarna lever 6.000 skärgårdsbor. Många är ättlingar till de fiskare och jägare som var skärgårdens ursprungsbefolkning. När sommaren kommer ökar folkmängden med hundratusentals stockholmare och turister som bebor 40.000 fritidshus och nyttjar 150.000 fritidsbåtar. Denna dramatiska ökning av befolkningen bidrar till försörjningen och skapar arbetstillfällen för de bofasta i skärgården. Självklart

Stockholm if one travels from west to east. As the crow flies, the outer archipelago is some 60 kilometres from the centre.

Six thousand people live and work on the islands. Many are descendants of the fishermen and hunters who were the original inhabitants of the archipelago. When the summer arrives the population increases by hundreds of thousands. This dramatic increase in the population helps to provide a living and creates jobs for the permanent residents of the archipelago. Obviously, this also puts a strain on the environ-

Auf den Schären leben und arbeiten 6 000 Einwohner. Wenn der Sommer naht, wächst die Bevölkerung um hunderttausende Stockholmer und Touristen, die 40 000 Sommerhäuser bewohnen und 150 000 Freizeitboote nutzen. Dieser drastische Anstieg der Einwohnerzahl trägt zur Versorgung bei und schafft Arbeitsmöglichkeiten für die sesshafte Bevölkerung. Natürlich bringt er auch Belastungen für die Umwelt mit sich, doch wird durch aktive Arbeit versucht, Abnutzung und Verschmutzung zu minimieren.

Wer die Schären zum ersten

un des plus riches en iles avec ses voies d'eau naturelles pour circuler en été et ses baies couvertes de glace en hiver. L'archipel est limité à la région qui se trouve entre Arholma au nord et Landsort au sud, environ 15 milles suédois. Un quai du centre de Stockholm est le point de départ naturel si l'on veut le parcourir d'ouest en est. Jusqu'aux rochers les plus éloignés, la distance par la voie des airs est de environ 6 milles.

6000 habitants vivent et travaillent sur ces iles. Quand l'été arrive, la population augmente avec des centaines de milliers

***DAS STOCKHOLMER SCHLOSS** in Gamla stan ist eine bedeutende Sehenswürdigkeit. Gleiches gilt für die Stockholmer Schären mit ihren 25.000 Inseln. **LE CHÂTEAU DE STOCKHOLM** dans Gamla stan est une attraction tout comme l'archipel avec 25.000 îles.*

bidrar detta också till påfrestningar på miljön, men det arbetas aktivt för att minimera slitage och nersmutsning.

Den som för första gången besöker skärgården överraskas ofta av de stora öarnas lummighet. Längre ut mot havet förändras naturen. I yttersta havsbandet finns bara sparsam vegetation som lyser i granithällarnas skrevor som slipats blanka av inlandsisen.

Det var med inlandsisen det började. Istäcket, drygt ett par tusen meter tjockt, styckade ett tidigare sammanhängande

ment, but active work is carried out to minimise damage and pollution. There is a continuous hunt for those who contaminate the Baltic with oil and other pollutants.

The thick foliage of the larger islands often surprises a first-time visitor to the archipelago. The scenery changes further out to sea.

It all began with the inland ice. The ice sheet, more than a thousand metres thick, split a connected mountain range and over thousands of years polished rock faces on the north sides and left sharp-edged, pointed, tall south

Mal besucht, ist oft von der üppigen Vegetation der großen Inseln überrascht. Im äußeren Bereich der Schären ist die Vegetation spärlich und begrenzt ihre Pracht auf die Spalten der vom Inlandeis glattgeschliffenen Granitfelsen.

Mit dem Inlandeis fing alles an. Der über zweitausend Meter mächtige Eispanzer zerklüftete ein früher zusammenhängendes Gebirgsmassiv und schliff die Felsen im Laufe von Jahrtausenden auf der Nordseite rund, während er an den Südseiten spitze, hohe Felsen zurückließ. Insgesamt hat sich das Land seit dem

habitants de Stockholm et des touristes qui habitent

40 000 maisons de vacances et utilisent 150 000 bateaux au cours de leurs loisirs. On travaille activement pour minimiser les dégradations et la pollution. La chasse à ceux qui polluent la Baltique avec du fuel et d'autres rejets est continuelle.

Celui qui pour la première fois visite l'archipel, est souvent surpris par la verdure des grandes iles. Plus loin de la côte, la nature change. A la limite extrême de l'archipel, il n'y a plus qu'une végétation rare qui brille dans les

bergsområde och slipade under årtusenden runda berghällar på norrsidorna och lämnade vassa taggiga höga södersidor. För omkring 9.000 år sedan började landhöjningen, först i ganska snabb takt men sedan allt långsammare. Sammanlagt har landet höjts ett par hundra meter sedan istäcket försvann.

Mycket i Stockholms skärgård är sig likt från förr, även om den nya tiden bryter fram. När isen försvinner på vårarna och fågellivet vaknar dras människorna ut till fjärdarna. Båtfolket lever upp och man ser vita segel på fjärdarna

sides. Around 9,000 years ago the land began to rise, quite rapidly at first but then more slowly. All in all, the land has risen a couple of hundred metres since the ice sheet disappeared. In modern
times, land elevation is approximately half a metre per century.

Much is as it used to be in the Stockholm archipelago. People are drawn to the bays when the ice disappears in the spring and the birds awaken. The boat people enjoy life and white sails can be spotted in the bays as far as the eye can see. Skerry boats

Abschmelzen der Eismassen um etwa zweihundert Meter gehoben. Dieser Prozess setzt sich auch heute noch mit etwa einem halben Meter in einhundert Jahren fort, was rein praktisch bedeutet, dass das Wasser in den Schären immer flacher wird.

Vieles ist in den Stockholmer Schären noch immer so wie früher. Wenn das Eis im Frühjahr taut und die Vögel zu singen beginnen, zieht es die Menschen hinaus auf das Wasser. Weiße Segel zieren die Buchten so weit das Auge reicht. Die großen Wasserstraßen werden von Linien-

recoins des rochers de granit polis par l'inlandsis.

Tout a commençé par l'inlandsis. La couverture de glace qui avait quelques milliers de mètres d'épaisseur, a découpé en morceaux une région montagneuse et, pendant des millénaires, poli les rochers: ceux-ci sont devenus ronds côté nord et possèdent de hautes pointes piquantes et tranchantes côté sud. La terre s'est rehaussée il y a environ 9000 ans, assez rapidement au début puis de plus en plus lentement. De nos jours le soulèvement est d'environ cinquante centimètres par siècle.

så långt ögat når. De stora farlederna trafikeras av skärgårdsbåtar och färjor som forsar fram mot hamnar på andra sidan Ålands hav och Östersjön. En dagstur med en Finlandsfärja till Mariehamn på finska Åland, Åbo eller Finlands huvudstad Helsingfors är en upplevelse och ger en god bild av skärgårdens utbredning under de timmar det tar tills man når öppet hav.

and ferries that rush towards harbours on the other side of the Åland Sea and the Baltic use the main channels. A day trip on a ferry to Mariehamn in Finnish Åland, Turku or Finland's capital Helsinki is an experience and provides a good picture of the extent of the archipelago during the hours it takes to reach the open seas.

booten der Schären und von großen Fähren auf ihrem Weg zu Häfen auf der anderen Seite der Ålandsee und der Ostsee befahren. Ein Tagesausflug mit einer Finnlandfähre nach Mariehamn auf den finnischen Åland-Inseln, nach Turku oder in die finnische Hauptstadt Helsinki ist ein Erlebnis.

Quand la glace fond au printemps et que les oiseaux se réveillent, les hommes partent vers les golfes. Les hommes reprennent leurs bateaux et on voit, à perte de vue, des voiles blanches sur l'eau. Les bateaux à voile et les ferries qui foncent vers des ports de l'autre côté de la mer d'Åland et de la Baltique circulent dans de grands chenaux. Un voyage d'une journée sur un ferry qui vous emmene à Mariehamn sur l'Åland finlandais, à Åbo ou à Helsingfors, la capitale de la Finlande, est une révélation.

Makten utgår från folket

Power proceeds from the people / Die Macht geht vom Volke aus / Le pouvoir vient du peuple

”All offentlig makt i Sverige utgår från folket. Den svenska folkstyrelsen bygger på fri åsiktsbildning och på allmän och lika rösträtt. Den förverkligas genom ett representativt och parlamentariskt statsskick och genom kommunal självstyrelse. Den offentliga makten utövas under lagarna”.

DETTA STÅR ATT LÄSA i första kapitlet av 1974 års regeringsform. Där stadgas också att regeringen styr riket, att den är ansvarig inför riksdagen och att kungen är rikets statschef. Sveriges styrelseskick är demokratiskt.

Vad som ofta leder till frågor utomlands om styrelseskicket, är kungens roll som statschef. Kungahuset har i praktiken bara representativa plikter och är Sveriges ansikte utåt i världen. Sverige har sedan 1544 varit ett ärftligt kungadöme. En rad kungliga giganter har lett landet,

“All public power in Sweden proceeds from the people. Swedish democracy is founded on the free formation of opinion and on universal and equal suffrage. It shall be realised through a representative and parliamentary polity and through local self-government. Public power shall be exercised under the law.”

THE ABOVE IS STATED in the first chapter of the “Basic principles of the form of government” from 1974. It is also laid down there that the government rules the state, that it is answerable to the Swedish Parliament and that the King is the Head of State. Sweden’s form of government is democratic.

What often leads to questions abroad about the form of government is the King’s role as Head of State. In practice, the royal family only have representational duties.

„Alle Staatsgewalt in Schweden geht vom Volke aus. Sie wurzelt in freier Meinungsbildung und allgemeinem und gleichem Wahlrecht. Sie wird durch eine repräsentative und parlamentarische Staatsform und durch kommunale Selbstverwaltung ausgeübt. Die Staatsgewalt ist an Gesetz und Recht gebunden.“

SO ZU LESEN im Artikel 1 der Regierungsform aus dem Jahr 1974. In ihr wird auch festgeschrieben, dass die Regierung das Land steuert, dass sie dem Reichstag gegenüber verantwortlich und der König unser Staatsoberhaupt ist. Schwedens Staatsform ist demokratisch.

Was im Ausland oft zu Fragen über unsere Staatsform führt, ist die Rolle des Königs als Staatsoberhaupt. Das Königshaus nimmt lediglich Repräsentationspflichten wahr und ist Schwedens Aushängeschild.

”Tout pouvoir officiel en Suède vient du peuple. Le gouvernement du peuple suédois est basé sur la liberté d'opinion et sur le droit de vote égal pour tous. Il est exercé par un état représentatif et parlementaire et par une direction autonome des communes. Le pouvoir officiel s’exerce selon les lois”.

VOICI CE QUE L’ON PEUT lire dans le premier paragraphe de ”regeringsformen” de 1974 qui donne les règles fondamentales de fonctionnement du gouvernement. Il est dit aussi que le gouvernement dirige le pays, qu’il est responsable aux yeux de la loi et que le roi est le chef de l’Etat. La Suède a un gouvernement démocratique.

Les questions souvent posées à l’étranger concernent le rôle du roi comme chef d'état. La maison royale n’a en principe que des devoirs de représentation afin de donner une image de la

KUNG CARL XVI GUSTAF med familj. KING CARL XVI GUSTAF and family.
KÖNIG CARL XVI. GUSTAF mit Familie. LE ROI CHARLES GUSTAVE XVI avec sa famille.

bland annat Gustav Vasa, Gustav II Adolf, Karl XII och Gustav III. Släkten Bernadotte har franska rötter genom Carl XIV Johan som besteg Sveriges tron år 1818. Sveriges nuvarande kung Carl XVI Gustaf tillträdde tronen 1973 och är den sjunde Bernadotte-kungen i ordningen. Av de årliga evenemangen med kungafamiljen är Nobelfesten i december den främsta.

Sveriges riksdag består av en kammare med 349 ledamöter, riksdagsmän från hela landet,

Sweden has been a hereditary monarchy since 1544. A number of royal giants have led the country, including Gustav Vasa, Gustav II Adolf, Karl XII and Gustav III. The Bernadotte family has French origins by way of Carl XIV Johan who ascended Sweden's throne in 1818. Sweden's present king Carl XVI Gustaf took over the throne in 1973 and is the seventh Bernadotte king in succession. Of all the annual events in which the royal family participates, the Nobel festival in

Schweden ist seit 1544 eine Erbmonarchie. Viele berühmte Könige haben das Land regiert, unter ihnen Gustav Vasa, Gustav II. Adolf, Karl XII. und Gustav III. Die Bernadotte-Dynastie hat französische Wurzeln. Jean Baptiste Bernadotte bestieg als Carl XIV. Johan 1818 den schwedischen Thron. Der jetzige König Carl XVI. Gustaf wurde 1973 gekrönt und ist der siebente Bernadotte-König. Von den jährlich stattfindenden Veranstaltungen, an denen die königliche

Suède au monde. La Suède est un royaume héréditaire depuis 1544. Beaucoup de grands rois ont dirigé le pays, entre autres Gustav Vasa, Gustav Adolf II, Charles XII et Gustav III. La famille Bernadotte a des racines françaises par Charles XIV Johan, qui est monté sur le trône de la Suède en 1818. Le roi actuel, Charles XVII Gustaf, a accedé au trône en 1973 comme septième roi de la famille Bernadotte. Parmi les évènements annuels, auxquels la famille royale participe, le plus

DROTTNINGHOLMS SLOTT, *kungafamiljens hem på Ekerö utanför Stockholm.* ***DROTTNINGHOLM PALACE,*** *the royal residence on Ekerö, outside Stockholm.* ***SCHLOSS DROTTNING-HOLM,*** *Residenz der Königlichen Familie auf Ekerö außerhalb von Stockholm.* ***LE CHÂTEAU DE DROTTNINGHOLM*** *sur Ekerö, en dehors de Stockholm, résidence de la famille royale.*

valda i allmänna val vart fjärde år. De viktigaste besluten i riksdagen fattas i 16 utskott som fungerar som arbetsgrupper för olika områden som förbereder lagar och skatter. Riksdagen utser också statsminister som får uppdraget att bilda regering av riksdagens talman.

EKONOMI OCH INDUSTRI

Den svenska ekonomin kallas ofta för blandekonomi, en blandning med två dominerande bitar. Den ena består av ett marknadsmässigt

December is the most distinguished.

Sweden's Parliament comprises a Chamber with 349 members; MPs from the entire country, who are elected in general elections every fourth year. The most important parliamentary decisions are made in the 16 committees that act as working groups for different issues such as preparing laws and taxes. The Parliament also appoints the Prime Minister who is then charged to form a government.

Familie teilnimmt, kommt dem Nobelfest im Dezember die größte Bedeutung zu.

Der schwedische Einkammer-Reichstag besteht aus 349 Abgeordneten aus allen Teilen des Landes. Sie werden für vier Jahre in allgemeinen Wahlen gewählt. Die wichtigsten Beschlüsse fassen die 16 Ausschüsse des Reichstags, die sich in Form von Arbeitsgruppen mit spezifischen Sachgebieten beschäftigen, Gesetzesvorlagen und Steuervorschläge erarbeiten. Der Reichstag

important est la fête des prix Nobel au mois de décembre.

Le "riksdag" de la Suède comprend une chambre avec 349 membres, les députés du pays qui ont été élus au cours d'élections publiques qui ont lieu tous les quatre ans. Les décisions les plus importantes du "riksdag" sont prises dans 16 commissions qui fonctionnent comme groupes de travail des différentes régions; ils préparent lois et impôts. Le riksdag choisit aussi le premier ministre qui est chargé par le

VIKTIGA EXPORTVAROR *är träprodukter i olika former och stål. Varorna förs ut i världen från en rad hamnar, här Oskarshamn.* ***IMPORTANT EXPORTS*** *include timber products and steel. The goods are shipped out from a number of ports, here Oskarshamn.* ***WICHTIGE EXPORTERZEUGNISSE*** *wie Stahl und Holzprodukte verschiedenster Art werden von schwedischen Häfen aus in die Welt verschifft, hier der Hafen von Oskarshamn.* ***PRODUITS IMPORTANTS*** *d'exportation: du bois et de l'acier. Les marchandises partent de différents ports; ici Oskarshamn.*

och privatägt näringsliv och den andra av en omfattande produktion av tjänster i den offentliga sektorn. Omfattningen av den offentliga sektorn skiljer Sverige från resten av världen. I Sverige utgör den offentliga sektorn, statens, kommunernas och socialsystemets utgifter, två tredjedelar av bruttonationalproduktionen, BNP, den högsta i västvärlden.

Bevarandet av en tillfredsställande internationell konkurrenskraft är av största betydelse för Sverige. Ungefär en tredjedel av den svenska produktionen av varor och tjänster byts mot utländska produkter. Av industrins produktion exporteras mer än

ECONOMY AND INDUSTRY

The Swedish economy is often called a mixed economy, a mixture with two dominating segments. One segment consists of a market-based, privately-owned trade sector and the other of an extensive production of services in the public sector. Sweden is distinguished from the rest of the world by the extent of its public sector. In Sweden the public sector, the expenses of the state, the municipalities and the social system, makes up two-thirds of Gross Domestic Product, GDP, the highest in the western world.

Maintaining satisfactory international competitiveness is of

ernennt auch den Ministerpräsidenten, der dann vom Reichstagspräsident den Auftrag zur Regierungsbildung erhält.

INDUSTRIE UND WIRTSCHAFT

Die schwedische Wirtschaft wird oft als Mischwirtschaft mit zwei dominierenden Bestandteilen bezeichnet – einer marktgerechten privaten Wirtschaft und einer umfassenden Produktion von Dienstleistungen im öffentlichen Sektor. Dessen Größe unterscheidet Schweden vom Rest der Welt. Der öffentliche Sektor, d. h. die Ausgaben des Staates, der Gemeinden und des Sozialsystems, macht zwei Drittel des Brutto-

président de fonder le gouvernement.

ECONOMIE ET INDUSTRIE

L'économie suédoise est dite mixte, c'est l'association de deux composantes principales. L'une de ces composantes concerne le secteur économique aux mains des particuliers et l'autre le secteur public fournissant de très nombreux services. L'étendue du secteur public est ce qui fait la différence de la Suède avec le reste du monde. En Suède, le secteur public, les dépenses de l'état, des communes et celles du système social constituent les deux tiers du BNP, le Produit

hälften. Samtidigt är Sverige helt beroende av vissa viktiga utländska varor och olja som importeras och måste av detta skäl ha stora exportintäkter. Sveriges hemmamarknad är i många fall för liten för att möjliggöra produktion i tillräckligt stor skala. Lösningen är export.

Svensk industri har under de senaste decennierna genomgått en stor förvandling och omstrukturering. När de svenska teko-, varvs- och stålindustrierna ställdes inför övermäktig utländsk konkurrens, fördes arbetskraften över till andra växande sektorer. Bland de industrier som expanderat under senare år är

the utmost importance to Sweden. Approximately one third of the Swedish production of goods and services is exchanged for foreign products. More than half of industry's production is exported. At the same time, Sweden is totally dependent on certain, important foreign goods and oil which are imported, and must, for this reason, have large export revenues. In many cases, Sweden's domestic market is too small to make production on a large enough scale viable. The solution is export.

In the past few decades Swedish industry has undergone a major transformation and struc-

sozialprodukts aus. Damit nimmt Schweden in der westlichen Welt eine Spitzenposition ein.

Die Erhaltung einer guten internationalen Wettbewerbsfähigkeit ist für Schweden von größter Bedeutung. Etwa ein Drittel der schwedischen Waren und Dienstleistungen wird gegen ausländische Produkte eingetauscht. Von der Industrieproduktion geht mehr als die Hälfte in den Export. Gleichzeitig ist Schweden in höchstem Maße vom Import einiger wichtiger ausländischer Erzeugnisse und von Öl abhängig und benötigt aus diesem Grund hohe Exporteinnahmen.

Die schwedische Industrie

National Brut qui est le plus élevé du monde occidental.

Le maintien d'un marché international compétitif est de la plus haute importance pour la Suède. A peu près un tiers de la production nationale de produits manufacturés et des services est échangé contre des produits venant de l'étranger. On exporte plus de la moitié de la production l'industrielle. En même temps la Suède est entièrement dépendante de l'importation de certains produits étrangers importants en particulier celle du pétrole; pour cette raison le pays est obligé de tirer des revenus importants du marché extérieur.

bilindustrin, elektronisk industri och olika verkstadsindustrier. Läkemedelsindustrins framgångar är välkända och likaså IT-branschens.

SVENSKARNA

Vi vet rätt mycket om oss själva, ytligt sett. Sverige har jämte Finland världens äldsta kontinuerliga befolkningsstatistik. Redan 1749 började vi med folkbokföring i varje socken. Prästerna skrev in födda och döda i kyrkböcker som sedan sammanfördes stifts- och länsvis och gav upphov till denna viktiga statistik. Till saken hör att det inte är alldeles lätt att tolka uppgifterna i jäm-

tural reorganisation. The workforce moved to other growth sectors when the textile and clothing, shipyard and steel industries were confronted by superior, foreign competition. The automotive industry, the electronics industry and different engineering industries are some of the industries that have grown in recent years. The pharmaceutical industry's success is well-known, as is that of the IT sector.

THE SWEDES

Superficially Swedes know quite a bit about themselves. Together with Finland, Sweden has the oldest, continuous, population

erlebte in den letzten Jahrzehnten eine große Verwandlung und Umstrukturierung. Als die Textil- und Bekleidungsindustrie sowie die Werft- und Stahlindustrie Schwedens einer übermächtigen ausländischen Konkurrenz gegenüberstanden, wurden die Arbeitskräfte auf andere, expandierende Sektoren wie die Automobilindustrie, die elektronische Industrie und verschiedene metallverarbeitende Industriezweige umgelenkt. Die Erfolge der pharmazeutischen Industrie sind wie auch die der IT-Branche hinreichend bekannt.

Pendant les dernières décennies, l'industrie suédoise a subi des grands changements et restructurations. Quand les industries technologiques de construction navales et de sidérurgie ont été mises devant une concurrence étangère trop forte, la main- d'œuvre a été transférée vers d'autres secteurs en expansion. Parmi les industries qui ont grandi pendant ces dernières années, on trouve l'automobile, l'électronique et différentes constructions mécaniques. Les progrès de la production pharmaceutique sont bien connus tout comme ceux de la branche de l'informatique.

***SVERIGES RIKASTE JORDBRUKSBYGDER** finns i Skåne och Småland.* ***SWEDEN'S MOST FERTILE** agricultural areas are in Scania and Småland.* ***SCHWEDENS FRUCHTBARSTE AGRARGEBIETE** liegen in Schonen und Småland.* ***LES DISTRICTS AGRICOLES** les plus prospères se trouvent en Skåne et en Småland.*

förelse med tidigare beräkningar och uppskattningar eftersom gränser och förutsättningar ändrades. Vi vet att Sverige inom nuvarande gränser hade 2 miljoner människor år 1767. År 1800 hade befolkningen växt till 2,35 miljoner och sedan ökar siffran drastiskt till år 1900. Då kunde man räkna in 5,15 miljoner svenskar.

Trots låga födelsetal är vi i dag snart 9 miljoner invånare. Utan invandring hade Sverige under senare år haft befolkningsminskning. Mellan 1850 och 1950 ökade medellivslängden i snabb takt. 1998 var medellivslängden 77 år för män och 82 år för kvinnor.

I slutet av 1960-talet minskade

statistics in the world. Sweden began to keep parish records as early as 1749. The priests recorded the births and deaths in the parish registers, which were then put together by diocese and county and thus gave rise to these important statistics. It is pertinent to add that it is not always an easy task to interpret the information when making comparisons with earlier calculations and estimates since boundaries and conditions altered. We do know that Sweden, within its current borders, had 2 million inhabitants in 1767. In 1800 the population had grown to 2.35 million and the figure then

DIE SCHWEDEN

Statistisch gesehen wissen wir recht viel über uns. Schweden verfügt neben Finnland über die weltweit älteste kontinuierliche Bevölkerungsstatistik. Die schwedischen Kirchengemeinden begannen bereits 1749, über ihre Einwohner Buch zu führen. Die Pfarrer trugen die Neugeborenen und Verstorbenen in ihre Kirchenbücher ein, die dann stift- und provinzweise zusammengeführt wurden. Schweden hatte in seinen jetzigen Grenzen im Jahr 1767 zwei Mio., im Jahr 1800 2,35 Mio. und einhundert Jahre später 5,15 Mio. Einwohner.

LES SUÉDOIS

Nous connaissons superficiellement beaucoup de choses de nous-mêmes. La Suède a, au même titre que la Finlande, des relévés démographiques complets les plus anciens du monde. Nous avions déjà établi en 1749 le service de l'état civil dans chaque commune. Le pasteur écrivait dans les livres de l'église les naissances et les morts et ces livres ont ensuite été réunis par diocèses et départements pour donner naissance à ces statistiques importantes. Les frontières et les statuts ont changé. Nous savons qu'à l'intérieur de ses frontières actuelles la Suède avait, en 1767,

GRETA GARBO *The film star*

INGMAR BERGMAN *The director & film-maker*

antalet äktenskap med en tredjedel och samboendet blev populärt. På 80-talet var en fjärdedel av alla familjer sambor. Denna samlevnadsform är väl spridd i hela Europa men störst i Sverige och Danmark.

1980 bodde 83 procent av befolkningen i tätorter och resterande 17 procent i glesbygd. Under 1800-talets mitt var situationen helt annorlunda. Då bodde tre fjärdedelar av befolkningen i glesbygd. Ända fram till 1930-talet var glesbygdsboende

increased dramatically up to 1900 when 5.15 million Swedes were counted.

Despite the low birth rate Sweden now has almost 9 million inhabitants. Sweden would have had a drop in population in recent years if it were not for immigration from abroad.

There was a rapid increase in the average life span between 1850 and 1950. However, between 1960 and 1970 it slowed down.In 1998 the average life span was 77 years for men and 82 for women.

Trotz niedriger Geburtenzahlen leben heute fast 9 Mio. Menschen in Schweden. Ohne die Einwanderung hätte das Land in den letzten Jahren einen Bevölkerungsrückgang zu verzeichnen gehabt.

Zwischen 1850 und 1950 kam es zu einem markanten Anstieg der mittleren Lebenserwartung. Im Jahr 1998 betrug sie bei Männern 77 und bei Frauen 82 Jahre. Ende der 60er Jahre verringerte sich die Anzahl der Ehen um ein Drittel. Immer mehr Paare

2 millions d'habitants. En l'an 1800, la population avait augmenté jusqu'à 2,35 millions puis les chiffres augmentent fortement jusqu'en 1900. A cette époque, on pouvait compter 5,15 millions de suédois.

Malgré un nombre de naissances faible, nous sommes aujourd'hui presque 9 millions d'habitants.

La durée moyenne de la vie a rapidement augmenté entre 1850 et 1950 pour ralentir ensuite entre 1960 et 1970. La durée moyenne

RAOUL WALLENBERG *The diplomat*

INGRID BERGMAN *The actress*

ROXETTE *The pop group*

ABBA *The pop group*

PIPPI LÅNGSTRUMP

ASTRID LINDGREN *The author*

störst. Sedan kom den stora förändringen när många drogs till städer och större samhällen. Resultatet är i dag överhettning i storstadsområdena med bostadsbrist och våldsam ökning av trafiken som följd.

Marriages fell by a third at the end of the 1960s and living together became popular. In the 1980s one in four families lived in this form of relationship. This form of cohabitation is widespread across Europe but is most prevalent in Sweden and Denmark.

In 1980, 83 per cent of the population lived in built-up areas and the remaining 17 per cent lived in sparsely-populated, rural areas. The situation was quite different in the middle of the

entschieden sich für eine Lebensgemeinschaft ohne Trauschein. Lebensgemeinschaften machten in den 80er Jahren ein Viertel aller Familien aus. Diese Form des Zusammenlebens ist heute in ganz Europa verbreitet, am stärksten jedoch in Schweden und Dänemark.

1980 lebten 83 Prozent der Bevölkerung in Städten und die verbleibenden 17 Prozent im ländlichen Raum. In der Mitte des 19. Jahrhunderts war die Situation eine ganz andere. Damals

de la vie était en 1998 de 77 ans pour les hommes et de 82 ans pour les femmes.

Le nombre de mariages a diminué d'un tiers vers la fin des années 1960 et le concubinage a augmenté. Dans la decénnie 1980, un quart des familles vivait en concubinage. Cette sorte de vie en commun est très répandue partout en Europe.

En 1980, 83% de la population habitait dans des zones urbaines et les 17% restants dans des régions peu peuplées. Au milieu

***NOBELPRISUTDELNINGEN** är årets största fest i Sverige. Galamiddagen firas i Stockholms stadshus. **THE NOBEL PRIZE CEREMONY** is the biggest festivity of the year in Sweden. The gala banquet is held in Stockholm City Hall. **DIE NOBELPREIS-VERLEIHUNG** ist das größte Fest des Jahres. Das Bankett findet im Stockholmer Rathaus statt. **LE PRIX NOBEL** est l'occasion de grandes festivités en Suède. Le diner de gala a lieu à Stadshuset, Stockholm.*

19th century, when three-fourths of the population lived in rural areas. Right up to the 1930s most of the population lived in rural areas. There then came a major change when many moved to towns and larger communities. This has now resulted in overheating in the metropolitan areas, which has led to housing shortages and a tremendous increase in traffic.

lebten drei Viertel der Bevölkerung auf dem Lande. Diese Lebensform dominierte bis in die dreißiger Jahre des 20. Jahrhunderts. Dann zog es viele in die Städte und größeren Ortschaften. Im Ergebnis dessen herrscht heute in den Großstadtgebieten eine Überhitzung mit Wohnungsmangel und einer erheblichen Zunahme des Verkehrsaufkommens als Folge.

du dix-neuvième siècle la situation était totalement différente. Les trois quarts de la population habitaient alors dans une région peu peuplée. Jusqu'en 1930 la situation est restée la même. Les grands changements sont venus ensuite, quand beaucoup de monde est venu s'installer dans les villes et les agglomérations plus grandes. Le résultat est qu'il y a aujourd'hui surchauffe dans des grandes villes avec manque de logements et très forte augmentation de la circulation automobile.

Naturens rikedom

The riches of Nature / Der Reichtum der Natur / Les richesses de la nature

GÅNG PÅ GÅNG SLÅR det mig hur omväxlande Sverige är. Skånes böljande sädesfält, Västkustens mjuka klippor mot det blå havet, Sörmlands grönska, Värmlands djupa skogar – här finns nästan alla landskapstyper representerade. Till detta kommer alla nationalparker som finns spridda i landet. Viktig är också den världsarvlista som sammanställs av UNESCO på omistliga områden och minnesmärken. Dessa världsarv, som ska bevaras och skyddas inför framtiden, är samtliga värda att besöka. 2002 var tolv svenska världsarv listade (se sid 82).

Att göra en resa längs Europaväg 4 mot norr är en upplevelse. Kustområdena mot Bottenhavet och särskilt Höga kusten bjuder på storslagna vyer, inte minst i trakterna av den nya Vedabron. Det verkligt dramatiska möter man i Västerbottens och Norrbottens inland och fjälltrakter

TIME AND AGAIN I am struck by the diversity of Sweden. The waving cornfields of Scania, the smooth rocks of the west coast against the blue sea, the greenery of Sörmland, the deep forests of Värmland – virtually every type of landscape is represented. In addition, there are all the national parks spread across the country. The World Heritage List, compiled by UNESCO, over precious sites and monuments is also important. All these world heritage sites that are to be kept and protected for the future are worth visiting. In 2002 twelve world heritage sites in Sweden were listed (see p.82).

A journey along the E4 road, heading north, is an experience. The coastal areas off the Gulf of Bothnia, and especially the High Coast, offer magnificent views; not least in the area around the new Veda bridge. The really

IMMER WIEDER fällt mir auf, wie abwechslungsreich Schweden ist. Die wogenden Getreidefelder Schonens, die runden, sich vom blauen Meer abhebenden Klippen der Westküste, das Grün Sörmlands, Värmlands tiefe Wälder – in Schweden existieren fast alle Landschaftstypen. Dazu kommen die über das ganze Land verteilten Nationalparks, nicht zu vergessen die in die UNESCO-Liste des Welterbes über Kultur- und Naturgüter mit unersetzlichen Werten aufgenommenen schwedischen Welterbestätten, die es zu pflegen und für künftige Generationen zu erhalten gilt. Im Jahr 2002 sind zwölf höchst sehenswerte schwedische Welterbestätten auf dieser Liste vertreten (Siehe s.82).

Eine Fahrt auf der Europastraße E4 Richtung Norden ist ein wahres Erlebnis. Die Küstengebiete am Bottnischen Meerbusen,

BIEN DES FOIS, j'ai été frappé par le fait que la Suède ait une nature aussi variée. Les champs de blé ondulants de Skåne, les rochers doux de Vâstkusten sur fond de mer bleue, la verdure de Sörmland, les forêts profondes de Värmland, ici on trouve presque tous les genres de paysage représentés. Ajoutons à ceci tous les parcs nationaux éparpillés à travers le pays. Il est important de faire mention de la liste dressée par l'UNESCO qui énumère les sites et monuments uniques au monde. Ces trésors de l'humanité qui doivent être protégés et gardés pour le futur valent tous le détour. En 2002, les douze héritages de l'humanité suédois étaient les suivants (voir page 82).

Faire un voyage par la Routc Européenne 4 vers le nord est un evènement marquant. Les environs des côtes de la Baltique et surtout *Höga kusten* offrent des

***PÅ UNESCO:S VÄRLDSARVLISTA** finns bl a Hansestaden Visby med sin ringmur, Gammelstads kyrkby i Luleå liksom södra Ölands jordbrukslandskap. **THE HANSEATIC TOWN** of Visby, Gammelstad's church town in Luleå and southern Öland's agricultural landscape are on the UNESCO's World Heritage List. **AUF DER WELTERBELISTE** der UNESCO stehen u.a. die Hansestadt Visby mit ihrer Ringmauer, die Kirchstadt Gammelstad in Luleå und die Kulturlandschaft Südölands. **INSCRITS SUR LA LISTE** de l'héritage mondial culturel de l'ONU on trouve la ville hanséate de Visby, le village église de Gammelstad à Luleå et Alvaret à Öland.*

– samernas vidsträckta domäner. Här strövar älg och ren, här jagar björn och järv. Vargar har också lyckats överleva i skogarna och har till och med ökat i antal på fjällen. För den friluftsälskande finns allt man kan önska sig, vinter som sommar. Varför inte skidåkning nerför fjällen? Eller

dramatic scenery is to be found in the inland and fell regions of Västerbotten and Norrbotten – the vast lands of the Sami people. This is where elk and reindeer roam freely, where bears and wolverines stalk. Wolves have also managed to survive in the forests and have even increased

und hier besonders Höga kusten, bieten einzigartige Aussichten, nicht zuletzt im Gebiet der neuen Brücke Vedabron. Der wirklichen Dramatik begegnet man im Binnenland und in der Gebirgswelt der Provinzen Västerbotten und Norrbotten – den weitläufigen Revieren der Sami. Hier streifen

vues grandioses. A l'intérieur du pays, en Västerbotten et Norrbotten vous trouverez un environnement vraiment sauvage. Dans les vastes domaines des Lapons vivent élans et rennes, ici chassent l'ours et le glouton. Les loups ont réussi à survivre ici dans les forêts et dans les montagnes leur

UNESCOs världsarvslista

1. *Drottningholm på Ekerö (1991) / Drottingholm on Ekerö / Die Schlossanlage Drottningholm / Drottningholm sur Ekerö*

2. *Birka och Hovgården på Ekerö (1993) / Birka and Hovgården on Ekerö / Birka und Hovgården / Birka et Hovgården sur Ekerö*

3. *Engelbrekts bruk i Fagerstad (1993) / Engelbrekt's ironworks in Fagerstad / Die Eisenhütte Engelsberg / L'usine d'Engelbrekt à Fagerstad*

4. *Hällristningsområdet i Tanum (1994) / The rock carvings in Tanum / Die Felszeichnungen in Tanum / Les gravures sur les rochers à Tanum*

5. *Skogskyrkogården i Stockholm (1994) / Skogskyrkogården in Stockholm / Der Stockholmer Waldfriedhof / Le cimetière de la forêt à Stockholm*

6. *Hansestaden Visby (1995) / The Hanseatic town of Visby / Die Hansestadt Visby / La ville hanséatique Visby*

7. *Gammelstads kyrkstad i Luleå (1996) / Gammelstad's church town in Luleå / Gammelstad Kirchstadt / Gammelstad (la ville église) à Luleå*

8. *Laponia Lapplands världsarv (1996) / Laponia Lapland's world heritage / Laponia / Laponia, l'héritage mondial de la Laponie*

9. *Örlogsstaden i Karlskrona (1998) / The naval town of Karlskrona Der Marinehafen Karlskrona / Örlogsstaden (la "ville de la marine de guerre") à Karlskrona*

10. *Höga kusten (2000) / The High Coast / Die Hohe Küste / Höga kusten*

11. *Södra Ölands jordbrukslandskap (2000) / Southern Öland's agricultural landscape / Die Kulturlandschaft Südölands / Le paysage agricole du sud d'Öland*

12. *Falu koppargruva (2001) / Falu copper mine / Das Kupferbergwerk in Falun / La mine de cuivre de Falun*

PÅ FÅRÖ, GOTLAND, *kan man se landskap av raukar.* ***LIMESTONE PILLARS*** *can be seen on Fårö, Gotland.* ***RAUKAR-LANDSCHAFT*** *auf Fårö, Gotland.* ***SUR FÅRÖ, GOTLAND,*** *on voit des "raukar".*

***INBJUDANDE KOLMÅRDSSKOG**, till vänster. Till höger, Höga kusten, också noterad på UNESCO:s världsarvslista.* ***INVITING KOLMÅRD** woods, left. Right: The High Coast, also on the UNESCO's World Heritage List.* ***EINLADENDER WALD** von Kolmården, links. Rechts: Die Hohe Küste, ebenfalls UNESCO-Welterbe.* ***FORÊT ACCEUILLANTE** à Kolmården, a gauche. A droite: Höga kusten, également noté sur la liste de l'héritage mondial culturel de l'ONU.*

guldvaskning i Lannavaaras ödemarker? Sveriges lagfästa allemansrätt gör naturen tillgänglig för alla. Därför är det extra viktigt att man inte sliter för hårt på den natur som skall gå i arv till kommande generationer. Sveriges vildmarker representerar

in number on the fells. Lovers of the great outdoors can find everything they want here, winter and summer alike. Why not ski down a mountain slope or perhaps pan for gold in the wilderness of Lannavaara? Everything is easily accessible thanks to

Elch und Rentier durch die Natur, hier jagen Bär und Vielfraß. Auch der Wolf konnte in den Wäldern überleben und hat sich im Gebirge sogar vermehrt. Der aktive Naturliebhaber findet hier alles, was man sich nur wünschen kann – egal, ob Sommer oder Winter.

nombre a même augmenté. Pour l'amateur de plein air, il y a tout ce que l'on peut désirer, hiver comme été. Pourquoi ne pas faire du ski sur les pentes des montagnes ou peut-être de l'orpaillage dans la nature sauvage de Lannavaara? Le droit d'accès pour

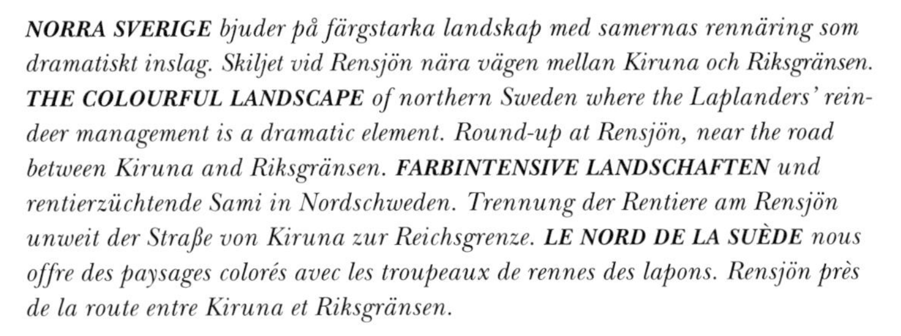

***NORRA SVERIGE** bjuder på färgstarka landskap med samernas rennäring som dramatiskt inslag. Skiljet vid Rensjön nära vägen mellan Kiruna och Riksgränsen.* ***THE COLOURFUL LANDSCAPE** of northern Sweden where the Laplanders' reindeer management is a dramatic element. Round-up at Rensjön, near the road between Kiruna and Riksgränsen.* ***FARBINTENSIVE LANDSCHAFTEN** und rentierzüchtende Sami in Nordschweden. Trennung der Rentiere am Rensjön unweit der Straße von Kiruna zur Reichsgrenze.* ***LE NORD DE LA SUÈDE** nous offre des paysages colorés avec les troupeaux de rennes des lapons. Rensjön près de la route entre Kiruna et Riksgränsen.*

Warum nicht die Gebirgshänge mit Skiern bezwingen oder in der Wildnis von Lannavaara Gold waschen? Das gesetzlich verankerte allgemeine Nutzungsrecht macht die schwedische Natur für jedermann zugänglich. Aus diesem Grund ist es auch von besonderer Wichtigkeit,

chacun, fixé par la loi, rend la nature accessible à tous. C'est pourquoi il est important de ne pas dégrader la nature qui sera transmise en héritage aux générations à venir. Les régions désertes de la Suède représentent des valeurs inestimables alors les forêts de l'Europe centrale

oersättliga värden när Central-
europas skogar dör i bil- och
industrigifternas spår.

Sweden's law governing the right
of common access to private
land. It is, therefore, very impor-
tant to limit wear and tear on
the countryside which is to be
handed down to future genera-
tions. The wilds of Sweden are
irreplaceable.

dass wir die Natur, die wir den
zukünftigen Generationen ver-
erben wollen, nicht zu intensiv
nutzen. Die Wildnis Schwedens
besitzt angesichts des durch
Autoabgase und Industriegifte
verursachten Waldsterbens in
Mitteleuropa unersetzliche Werte.

meurent des effets des poisons
émis par les automobiles et les
industries.

Ett bördigt land i söder

A fertile land in the south / Fruchtbarer Süden / Un pays fertile dans le sud

NÄR BLOMSTERKUNGEN Carl von Linné år 1749 gjorde en resa till Skåne i södra Sverige skrev han bland annat:

”… ett Kaanans land, betäckt med de härligaste åkrar och den skönaste säd, så långt ögat kunde se. Alltså är oförlikneligen intet land i Sverige att förlika emot Skåne och intet i Europa, som det med rätta kan föresättas, då alla dess förmåner bliva vägda emot varandra. Invånarne äro alltså lycklige, som bebo ett så ädelt land och kunna vara långt flere.”

I detta tal instämmer många skåningar stolt. Rikedomen och skönheten är väl dokumenterad. Däremot har åtskilligt hänt sedan Linnés betraktelse. I dag är Skåne Sveriges tätast befolkade område med drygt en miljon invånare som till största delen bor i de västra och sydvästra delarna.

WHEN THE FLOWER KING Carl von Linné (Linneaus) in 1749 travelled to Scania in southern Sweden he wrote, amongst other things,

“… a land of Canaan, cloaked in the most magnificent fields and the most beautiful crops as far as the eye could see. Thus, it is matchless and no other land in Sweden or Europe is comparable to Scania, when all the benefits are impartially weighed against each other. So then, the inhabitants who live on such noble land are fortunate and could be many more.”

Many inhabitants of Scania proudly agree with this view. The riches and beauty of the region are well-documented. On the other hand, a good deal has happened since Linné made his observations. Nowadays Scania is the most densely populated region with more than one million

ALS DER „BLUMENKÖNIG“ Carl von Linné 1749 durch das südschwedische Schonen reiste, schrieb er unter anderem:

„… ein Land Kaanan, mit herrlichsten Feldern und schönstem Getreide so weit das Auge reicht. Danach ist zweifellos kein Land in Schweden und keines in Europa mit Schonen zu vergleichen, was nach Abwägung aller Vorzüge mit Fug und Recht festgestellt werden kann. Die Einwohner, die ein solch edles Land bewohnen, können sich also glücklich schätzen, und sie könnten noch viel zahlreicher sein.“

Mit Stolz stimmen viele Einwohner Schonens dieser Beschreibung zu. Reichtum und Schönheit sind umfassend dokumentiert. Allerdings hat sich seit Linnés Reise auch einiges verändert. Heute ist Schonen die am dichtesten besiedelte Region

EN L'AN 1749, Carl von Linné, le ”roi des fleurs” fait un voyage en Skåne au sud de la Suède il écrit entre autre:

”… un pays de Kanaan, à perte de vue couvert de champs merveilleux et de bon blé. Aucun pays en Suède ne peut être comparé à Skåne et aucun en Europe et après avoir comparé tous ses avantages on peut à juste titre le dire. C'est pourquoi ses habitants sont heureux qui vivent dans un si noble pays et ils pourraient être beaucoup plus nombreux.”

Beaucoup d'habitants de Skåne sont fièrement d'accord avec ces paroles. Cette richesse et cette beauté ont souvent été décrites. Mais, depuis la contemplation de Linné beaucoup d'evènements se sont passés. Skåne est aujourd'hui la région la plus peuplée de la Suède avec plus d'un million

GLIMMINGEHUS *nära Hammenhög. Odlingslandskap vid Hammars backar.* ***GLIMMINGEHUS*** *near Hammenhög. Arable land, Hammars backar.* ***GLIMMINGEHUS*** *bei Hammenhög. Kulturlandschaft bei Hammars backar.* ***GLIMMINGEHUS*** *près de Hammenhög. Cultures aux collines de Hammar.*

Huvudort är Malmö, Sveriges tredje stad i storleken och Skånes huvudstad med 235.000 invånare och allt en modern storstad kan tänkas bjuda på. På *Stortorget* i centrum sitter kung Karl X Gustav till häst och minner om den seger som för över tre hundra år sedan gjorde Skåne svenskt. Malmö fick sina privilegier 1352 och har utvecklats till en modern handels- och industristad med en rad kända företag som bas för

inhabitants, who in the main live in the western and south-western areas. The principal city is Malmö, Sweden's third largest city and the capital of Scania, with 235,000 inhabitants and with everything a modern metropolis possibly can offer. At *Stortorget* in the centre of the city, King Karl X Gustav sits on a horse recalling the victory that over three hundred year's ago made Scania Swedish. Malmö received its

Schwedens mit mehr als einer Mio. Einwohnern, die überwiegend im Westen und Südwesten Schonens leben. Malmö, die drittgrößte Stadt Schwedens, ist die Hauptstadt Schonens mit 235.000 Einwohnern und allem, was eine moderne Großstadt zu bieten hat. Auf dem *Stortorget* im Zentrum sitzt König Karl X. Gustav hoch zu Ross und erinnert an den Sieg, durch den Schonen vor über dreihundert Jahren ein

d'habitants qui, pour la plupart, habitent à l'ouest et au sud-ouest. La principale ville est Malmö, troisième ville de la Suède et capitale de Skåne avec ses 235.000 habitants; elle possède tout ce que l'on peut attendre d'une grande ville moderne. Le roi Charles X Gustave est assis sur son cheval au centre de *Stortorget;* ceci rappelle la victoire qui a donné Skåne à la Suède, il y a plus de trois cents ans. Les

ett rikt utvecklat näringsliv. Närbelägna universitetsstaden Lund och Malmö samarbetar också på utbildningssidan och har nära till den danska huvudstaden Köpenhamns akademiska faciliteter. Norr om Malmö ligger staden Helsingborg, också betydande handels- och industristad, fastlänkad med danska Helsingör genom täta färjeleder.

Under århundraden har framsynta herremän verkat för

charter in 1352 and has developed into a modern commercial and industrial city with a number of famous companies forming the backbone of a rich, developed economic life. Malmö and the neighbouring university town of Lund also co-operate on the educational front and are close to the academic facilities of the Danish capital Copenhagen. To the north of Malmö lies the town of Helsingborg, which is also a

Teil von Schweden wurde. Malmö erhielt 1352 Stadtrecht und hat sich zu einer modernen Industrie- und Handelsstadt entwickelt. Mehrere bekannte Unternehmen bilden das Fundament für ein vielfältiges Wirtschaftsleben. Malmö arbeitet im Ausbildungsbereich mit der nahe gelegenen Universitätsstadt Lund zusammen und hat es darüber hinaus nicht weit bis zu den akademischen Einrichtungen der dänischen

privilèges de Malmö remontent à 1352; la ville est devenue un centre moderne de commerçe et d'industrie qui possède de nombreux entreprises connues qui sont à la base d'une vie économique très développée. La ville universitaire de Lund, toute proche, et Malmö coopèrent pour l'enseignement et sont proches des possibilités de la capitale danoise Copenhague. Au nord de Malmö, se trouve Helsingborg qui est

att ge Skåne en rikt fasetterad kulturhistoria. Mer än tvåhundra slott och herresäten är fyllda av flera generationers kulturskatter. Åtskilligt kan beskådas vid regelbundna visningar.

I sydöstra Skåne mellan städerna Ystad och Simrishamn ligger Österlen, Skånes kulturdistrikt där konsten blommar. Varje påsk ordnar aktiva konstutövare och konstnärer av alla slag en karnevalsliknande massutställning som

significant commercial and industrial town, firmly linked to Danish Helsingör by frequent ferry connections.

Over the centuries far-sighted noblemen have acted to give Scania a richly faceted cultural history. More than two hundred castles and manors are filled with the cultural treasures of several generations. There is a great deal to be seen on the regular guided tours.

Hauptstadt Kopenhagen. Nördlich von Malmö liegt Helsingborg, ebenfalls eine bedeutende Industrie- und Handelsstadt, die durch einen umfangreichen Fährverkehr mit Helsingör auf dänischer Seite verbunden ist.

Jahrhundertelang haben weitsichtige Adlige Schonen mit einer reich facettierten Kulturgeschichte ausgestattet. Mehr als zweihundert Schlösser und Herrenhäuser beherbergen

aussi une ville importante pour l'Industrie et le Commerce, très liée à la ville danoise Helsingör par des nombreuses liaisons carferries.

Des seigneurs prévoyants ont oeuvré pendant des siècles pour donner à Skåne une vie culturelle riche. Il y a plus de deux cents châteaux et manoirs remplis des trésors culturels de plusieurs générations.

Entre les villes Ystad et Simris-

TILL SKÅNES NATURSKÖNASTE *delar hör Brösarps södra backar. Typisk gammal bebyggelse i Järrestad nära Simrishamn.* ***BRÖSARP'S SOUTHERN SLOPES,*** *one of Scania's beauty spots. Typical old buildings in Järrestad, near Simrishamn.* ***ZU DEN NATURSCHÖNHEITEN*** *Schonens gehören die südlichen Hügel von Brösarp. Typische alte Bauten in Järrestad bei Simrishamn.* ***LES COLLINES AU SUD*** *de Brösarp font partie des plus belles régions de Skåne. Habitat ancien typique à Järrestad près de Simrishamn.*

lockar tusentals besökare. Trehundra ateljéer och gallerier lockar med allsköns alster. På senare år har denna konstmanifestation även lockat publik från Europa, som kommer till Skåne via färjor och över Öresundsbron.

Det är ingen tillfällighet att konstnärer och kulturaktiva söker sig till Österlen. Redan tidigt upptäckte konstnärer som prins Eugén och lyriker som Gustaf

In south-east Scania, between Ystad and Simrishamn, lies Österlen, Scania's cultural district where the arts flourish. Every Easter active practitioners of art and artists of all kinds arrange an exhibition that is like a carnival and which attracts thousands of visitors. Three hundred studios and galleries attract with a wide range of works. This manifestation of art has in recent years also attracted people from Europe,

Kulturschätze mehrerer Generationen. Viele können im Rahmen regelmäßig stattfindender Führungen besichtigt werden.

Zwischen den Städten Ystad und Simrishamn im Südosten liegt Österlen, die Kunst- und Kulturregion Schonens. Jedes Frühjahr veranstalten aktive Amateur- und Profikünstler aller Couleur eine große Ausstellung mit Volksfestcharakter, die tausende Besucher anzieht.

hamn, dans la partie sud-est de Skåne, se trouve Österlen, le district culturel de Skåne où fleurit l'art. Tous les ans à Pâques, artisans et artistes de tous genres organisent une exposition gigantesque aux allures de carnaval qui attire des milliers de visiteurs. Trois cents ateliers et galeries attirent le public avec des œuvres variées. Pendant ces dernières années, cette manifestation a même attiré un public du continent

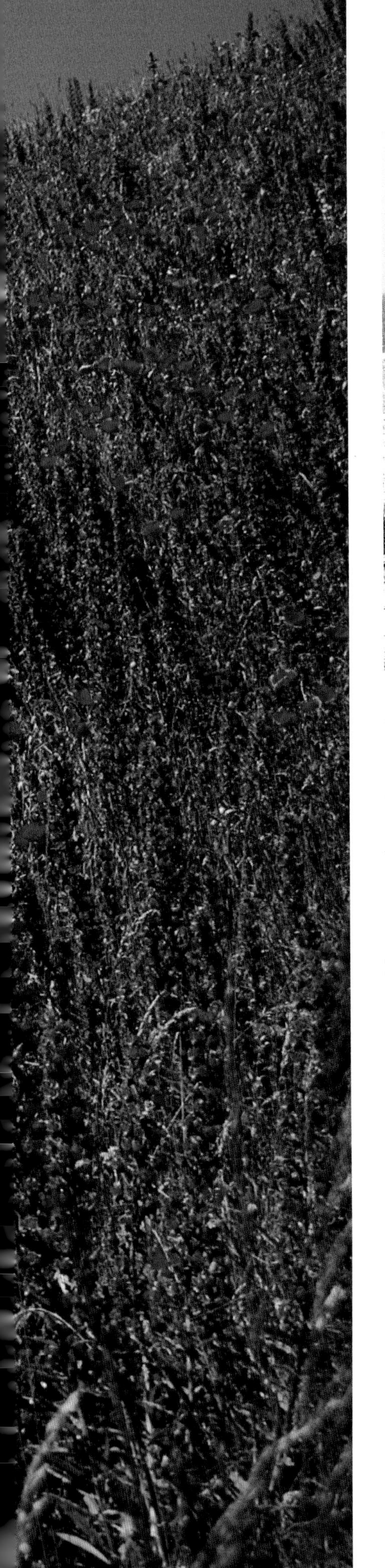

SKÅNE BJUDER PÅ *milsvida sandstränder. Blommande backar nära skeppssättningen Ales stenar vid Kåseberga.* ***MILE-LONG SANDY BEACHES*** *in Scania. Flowering slopes near the stone barrow Ales' Stones, Kåseberga.* ***KILOMETERLANGE SANDSTRÄNDE*** *in Schonen. Blühende Hügel in der Nähe der Schiffssetzung Ales stenar bei Kåseberga.* ***SKÅNE POSSÈDE DES PLAGES*** *de sable très étendues. Collines en fleurs près de Ales stenar, Kåseberga.*

***PITTORESK BEBYGGELSE** i fiskestaden Simrishamns äldsta delar. Fåglar och gäss hör till bilden. **PICTURESQUE BUILDINGS** in the eldest part of the fishing port Simrishamn. Birds and geese are part of the scene. **PITTORESKE BEBAUUNG** in den ältesten Teilen des Hafenstädtchens Simrishamn. Vögel und Gänse gehören immer dazu. **HABITAT PITTORESQUE** dans la partie la plus ancienne de la ville de pêche Simrishamn. Oies et autres oiseaux font partie de l'image.*

Rydberg och Johan Johansson att här fanns ett sällsamt ljus som stimulerade konstskapandet. August Strindberg gjorde också en resa genom Skåne för att med egna ögon få se det landskap som tidens konstnärer avbildade på ett så övertygande och framgångsrikt sätt.

who come to Scania via ferry or over the Öresund Bridge.

It is no coincidence that artists and cultural practitioners seek out Österlen. At an early stage artists such as Prince Eugén and lyricists such as Gustaf Rydberg and Johan Johansson discovered that there was here an exceptional light that inspired the creation of art.

Dreihundert Ateliers und Gallerien locken mit allerlei Arbeiten. Seit einigen Jahren interessiert diese Kunstmanifestation auch Gäste aus Europa, die mit der Fähre oder über die Öresundbrücke nach Schonen kommen.

Es ist kein Zufall, dass es Künstler und künstlerisch Aktive nach Österlen zieht. Schon früh entdeckten Künstler wie Prinz Eugén und Dichter wie Gustaf Rydberg und Johan Johansson

arrivant en Suède par ferries ou par le pont sur l'Öresund.

Ce n'est pas par hasard qu'artistes et artisans d'art se retrouvent dans Österlen. Des peintres tels que le prince Eugen et des poètes comme Gustav Rydberg et Johan Johansson ont découvert sa lumière particulière qui stimule la création. August Strindberg aussi a fait un voyage à travers Skåne pour voir de ses propres yeux le paysage que les artistes

hier ein sonderbares Licht, das sich stimulierend auf die künstlerische Arbeit auswirkte. Selbst August Strindberg unternahm eine Reise durch Schonen, um mit eigenen Augen die Landschaft zu sehen, die die Künstler seiner Zeit auf so überzeugende und erfolgreiche Art und Weise abbildeten.

de son temps avaient reproduit d'une manière si convainquante et si réussie.

Vackra västkust

Beautiful west coast / Bezaubernde Westküste / La belle côte ouest

KUSTLANDSKAPET FRÅN Torekov i nordvästra hörnet av Skåne till Kosteröarna utanför Strömstad i norra Bohuslän bildar den del av Sverige som kallas västkusten och som präglas av närheten till de stora havsvidderna Kattegatt och Skagerack. Västsvenskar talar gärna om Sveriges framsida. Kanske ligger det något i benämningen, västkusten är i varje fall den del av Sverige som möter det riktiga havet.

Det finns åtskilliga minnesmärken från gångna tider i Bohuslän, dösen och gånggrifter, rösen och hällkistor. Den fantasieggande skeppssättningen vid Blomsholm, Sveriges näst största efter Ales stenar i skånska Kåseberga, är från 500-talet. I trakten kring Tanum och på många andra ställen finns ett rikt antal sevärda hällristningar från bronsålder och tidig järnålder. De märkligaste är ristningarna vid Aspeberget,

THE COASTAL AREA from Torekov in the north-west corner of Scania to the Koster Islands, off Strömstad in northern Bohuslän, forms the part of Sweden known as the west coast and which is influenced by its vicinity to the large open waters of Kattegatt and Skagerrack.

Swedes from western Sweden like to speak of Sweden's front side. There is perhaps something to the term; the west coast is, at any rate, that part of Sweden that meets the true sea.

There are many protected sites from former times in Bohuslän, dolmens and chambered tumuli, cairns and stone coffins. The inventive stone ship at Blomsholm, Sweden's second largest after Ale's Stones in Kåseberga, Scania, dates from the 6th century. In the area around Tanum, and in many other places, a prolific number

DIE KÜSTENLANDSCHAFT von Torekov im nordwestlichen Zipfel Schonens bis zu den dem Ort Strömstad vorgelagerten Kosterinseln im nördlichen Bohuslän bilden den Teil Schwedens, der als Westküste bezeichnet wird und von seiner Nähe zu den Weiten des Kattegatts und Skageracks geprägt ist. Die Westschweden sprechen dabei gern von der Vorderseite Schwedens. Vielleicht ist das auch gar nicht so verkehrt, ist doch die Westküste unbestritten der Landesteil Schwedens, der am richtigen Meer liegt.

Es gibt eine Vielzahl von Zeugnissen vergangener Zeiten in der Provinz Bohuslän: Dolmen und Grabhügel, Gang- und Steingräber. Die Schiffssetzung bei Blomsholm, die zweitgrößte ihrer Art nach Ales stenar im südschwedischen Kåseberga, stammt aus dem 6. Jahrhundert und regt die

LA CÔTE QUI VA de Torekov, situé dans le coin nord-ouest de Skåne, jusqu'aux îles Koster au large de Strömstad dans le nord de Bohuslän forme la partie de la Suède que l'on appelle la côte ouest; elle est marquée par la proximité des grandes étendues des mers Kattegatt et Skagerack. Les suédois de l'est parlent volontiers de façade de la Suède. Il y a peut-être quelque chose dans cette appellation. En tout cas, côte ouest est la partie de la Suède qui rencontre la vraie mer.

Il y a un grand nombre de monuments du temps passé en Bohuslän, des tombes (*dösar*), des chambres funéraires à couloirs (*gånggrifter*), des amas de pierres qui marquaient les chemins (*rösen*) et des tombes dont les couvercles sont formés par des rochers plats (*hällkistor*). Les pierres levées à Blomsholm qui datent du sixième siècle sont par

***TANUMSSTRAND** på västkusten lockar besökare med skönhetsupplevelser.* ***TANUMSSTRAND** on the west coast attracts visitors.* ***TANUMSSTRAND** an der Westküste lockt die Besucher mit seiner schönen Natur.* ***LA BEAUTÉ DE** la nature à Tanumsstrand sur la côte ouest attire des visiteurs.*

Emilieborg och Vitlycke. Här skildras vardagens plöjning och stridens larm och goda inblickar i våra förfäders rituella och ceremoniella liv ges.

GÖTEBORG

Västkustens viktigaste stad är Göteborg, Sveriges andra i storlek med en halv miljon invånare. Göteborg är idag ledande export- och importhamn med månghundraåriga sjöfartstraditioner. Här ankrade på 1700-talet

of notable rock carvings from the Bronze Age and early Iron Age are to be found. The most remarkable are the carvings at Aspeberget, Emilieborg and Vitlycke. Here the everyday task of ploughing and the clamour of battle are depicted.

GOTHENBURG

The most important city on the west coast is Gothenburg, Sweden's second largest city with a population of half a million.

Fantasie ihrer Besucher an. Im Raum Tanum und an vielen anderen Stellen gibt es eine große Anzahl sehenswerter Felszeichnungen aus der Bronze- und der frühen Eisenzeit. Die interessantesten findet man bei Aspeberget, Emilieborg und Vitlycke. Neben der Darstellung alltäglicher Arbeit mit dem Pflug und kriegerischer Auseinandersetzungen gewähren sie einen Einblick in das rituelle und zeremonielle Leben unserer Vorfahren.

la taille les plus importantes après Ales stenar i Kåseberga en Skåne; ces pierres frappent l'imagination. Dans la région entourant Tanum et en de nombreux autres endroits, il existe un grand nombre de rochers gravés datant de l'âge du bronze et du début de l'âge de fer. Parmi les plus remarquables, on peut noter les gravures non loin de Aspeberget, Emilieborg et Vitlycke. Elles racontent les labours quotidiens, les bruits de la guerre et elles

Ostindiska Kompaniets segelfartyg som seglade ut med trä och järn till Kanton i Kina och förde hem te, porslin, tyger, kryddor och andra exotiska varor. Den stora expansionen kom på 1860-talet. Från Göteborg avseglade emigrantfartygen under 1800-talet med mer än en miljon människor till Amerika. Före trafikflygets genombrott var Göteborg den naturliga hamnen för alla Amerikalinjens stora passagerarfartyg, här lastade och

Today Gothenburg is a leading export and import port with centuries' old seafaring traditions. It was here in the 18th century that the East India Company's sailing vessels raised anchor and sailed with wood and iron to Canton, China and brought back tea, porcelain, cloth, spices and other exotic items. The main expansion was in the 1860s. Emigration vessels sailed from Gothenburg in the 19th century and more than a

GÖTEBORG

Göteborg, Schwedens zweitgrößte Stadt mit einer halben Million Einwohnern, ist die bedeutendste Stadt an der Westküste und der führende Export- und Importhafen mit einer jahrhundertealten Seefahrtstradition. Hier gingen im 18. Jahrhundert die Segelschiffe der Ostindischen Kompanie vor Anker, die mit Holz und Eisen ins chinesische Kanton segelten und mit Tee, Porzellan, Stoffen, Gewürzen und anderen

donnent un bon aperçu de la vie de nos ancêtres avec leurs cérémonies et leurs rites.

GÖTEBORG

La ville la plus importante sur la côte ouest est Göteborg, deuxième ville du pays avec un demi-million d'habitants. Göteborg est aujourd'hui le port d'export-import le plus important ayant, depuis des siècles, des traditions de navigation. Au dix-huitième siècle, les bâteaux à voile de la

lossade många rederiers fraktbåtar. I dag är Göteborg de stora containerfartygens hamn och här hanteras och skeppas Sveriges exportgods ut i världen. I Göteborg ligger Volvo, Sveriges ledande bilindustri som är västkustens dominerande tillverkningsföretag med världsvid export och stora expansionsplaner. Ett annat känt företag är Hasselblads som tillverkar den berömda kamera som amerikanska astronauter förde med sig upp i rymden och

million people found their way across to America. Gothenburg was the natural harbour for all the large passenger vessels of the America Line, prior to the breakthrough of civil aviation; the cargo ships of many shipping lines took in and offloaded cargo here. Gothenburg is now the port for large container vessels and Sweden's exports are handled here and shipped across the world. Gothenburg is home to Volvo, Sweden's leading automo-

exotischen Waren heimkehrten. Die große Expansion fand in den 60er Jahren des 19. Jahrhunderts statt. Von Göteborg legten im 19. Jahrhundert die Emigrantenschiffe mit mehr als einer Million Menschen nach Amerika ab. Vor dem Durchbruch des Verkehrsflugs war Göteborg der natürliche Hafen für alle großen Passagierschiffe der Amerikalinie. Hier wurden auch die Frachtschiffe vieler Reedereien gelöscht und beladen. Heute ist Göteborg der

Compagnie des Indes sont partis d'ici avec du bois et du fer pour Canton en Chine et en sont revenus avec du thé, de la porcelaine, des tissus, des épices et d'autres denrées exotiques. La grande expansion a débuté dans les années 1860. Au dix-neuvième siècle, les bâteaux d'émigrants partaient de Göteborg en emmenant plus d'un million de personnes en Amérique. Avant la percée de l'aviation civile Göteborg était le port naturel de toutes les grandes lignes

***VÄSTKUSTENS STORA ÖAR** kan lätt nås med broar och färjor. Lysekil med sin typiska bebyggelse.* ***THE LARGE ISLANDS** of the west coast are easily accessible thanks to bridges and ferries. Lysekil with typical buildings.* ***DIE GROSSEN INSELN** der Westküste sind über Brücken und mit Fähren leicht zu erreichen. Lysekil mit seiner charakteristischen Bebauung.* ***CARS ET FERRIES** facilitent l'accès des grandes îles de la côte ouest. Des constructions typiques à Lysekil.*

tog sensationella bilder av månen och jorden med.

LANDSKAPET

När man närmar sig det bohuslänska landskapet för första gången överväldigas man av dess storslagna och dramatiska skönhet. Landskapet är kargt och kärvt mot havet. Men bara ett stycke från de branta strändernas klippor finns ett bördigt jordbrukslandskap med grönskande dalgångar. I höjd med

tive industry and the dominant manufacturing company on the west coast with global exports and major plans for expansion. Another well-known company is Hasselblad, which manufactures the famous camera that American astronauts took with them into space to take sensational pictures of the moon and the earth.

Hafen der großen Containerschiffe, in dem schwedische Exporterzeugnisse verladen und in die ganze Welt verschifft werden. Auch Volvo, Schwedens führender Automobilhersteller, hat sich in Göteborg angesiedelt. Er ist der größte Produktionsbetrieb Westschwedens mit weltweitem Export und großen Expansionsplänen. Ein anderes bekanntes schwedisches Unternehmen ist Hasselblads. Es stellt die berühmte Kamera her, mit der

de bâteaux à passagers qui partaient pour l'Amérique; c'est ici que les navires de marchandises de bien de compagnies de navigation ont chargé et déchargé leur fret. Göteborg est aujourd'hui le port des grands bâteaux à containers; ici l'on manutentionne et on envoie des produits d'exportation suédois partout dans le monde. A Göteborg, Volvo, qui est le constructeur automobile le plus important de Suède, est l'industrie dominante de la

FESKEKÖRKA, HAMNEN *och Carl Milles stora staty på Avenyn i Göteborg.* ***FESKEKÖRKA, THE HARBOUR*** *and Carl Mille's large statue on Avenyn, Gothenburg.* ***FESKEKÖRKA, HAFEN*** *und das große Denkmal von Carl Mille auf der Avenyn in Göteborg.* ***FESKEKÖRKA, LE PORT*** *et la grande statue de Milles sur l'Avenue à Göteborg.*

Gullmarsfjorden, som skär rakt in i landskapet, skiftar landet i färg – i söder får allt en blå nyans, i norr dominerar en rosa ton. Fenomenet beror på berggrundens sammansättning – mörk och splittrad gnejs i söder och röd granit i norr.

Sommartid invaderas västkusten av semestrande svenskar, seglande norrmän, tyskar och danskar som här har hittat sitt sommarparadis. I populära hamnar som Marstrand och Smögen är trängseln stor vid bryggor och

THE LANDSCAPE

Those who approach the Bohuslän landscape for the first time are overwhelmed by its magnificent and dramatic beauty. Near the sea the landscape is barren and rugged, but just a short distance from the shoreline's sheer cliffs there is a fertile agricultural landscape with green valleys. On a level with Gullmarsfjorden, which cuts right into the landscape, the land changes colour – everything is tinged blue in the south, in the north a pink

amerikanischen Astronauten im Weltall sensationelle Bilder von Mond und Erde gelangen.

DIE LANDSCHAFT

Wenn man die Landschaft Bohusläns zum ersten Mal besucht, wird man von ihrer großartigen und dramatischen Schönheit regelrecht überwältigt. Die Landschaft ist zur Meerseite hin karg und rauh. Doch nur ein Stück von den Felsen des steilen Ufers entfernt breitet sich eine fruchtbare Agrarlandschaft mit grünen

côte ouest avec une exportation mondiale et des grands projets d'expansion. Hasselblad est une autre entreprise connue. C'est ici que l'on a fabriqué l'appareil photo célèbre que les astronautes américains ont emporté dans l'espace pour y prendre des images sensationnelles de la lune et de la terre.

LE PAYSAGE

Lorsqu'on s'approche du paysage de Bohuslän pour la première fois, on est vaincu par sa beauté

***SMÖGEN LOCKAR TILL** sig turister sommartid med sina mjuka klipphällar och sitt livliga bryggliv.*

Tälern aus. In der Höhe des Gullmarsfjords, der sich scharf in die Landschaft einschneidet, ändert das Land seine Farbe – im Süden hat alles eine blaue Nuance, im Norden dominiert ein rosa Farbton. Das Phänomen beruht auf der Zusammensetzung des felsigen Untergrundes – dunkler, zersplitterter Gneis im Süden und roter Granit im Norden.

Im Sommer wird die Westküste von schwedischen Urlaubern, segelnden Norwegern,

grandiose et fascinante. Le paysage est aride et âpre sur fond de mer. Mais à peu de distance des rochers abrupts de la côte, se trouve un paysage agricole fertile aux vallées verdoyantes. A hauteur de Gullmarsfjorden qui fait une tranchée profonde dans le paysage, le pays change de couleur – au sud tout prend une nuance bleue et au nord un ton rose domine. Le phénomène est dû à la composition des roches – du gneiss sombre et éparpillé au sud et du granit rose au nord.

***SMÖGEN WITH ITS** smooth rock faces and lively boating life attracts tourists during the summer months.* ***DAS SOMMERLICHE SMÖGEN** ist mit seinen sanften, flachen Felsen und dem lebhaften Treiben am Kai eine Touristenattraktion.* ***L'ÉTÉ, SMÖGEN ATTIRE** les touristes avec ses rochers polis et ses pontons animés.*

tilläggsplatser under sommarmånaderna. Sommarbohuslän är ett riktigt eldorado för seglare, sportfiskare och badgäster.

tone dominates. The phenomenon is a result of the composition of the bedrock – dark, splintered gneiss in the south and red granite in the north.

In the summer time the west coast is invaded by holidaying Swedes, sailing Norwegians, Germans and Danes who have found their summer paradise here. It becomes very crowded around the bridges and mooring-places in popular marinas such as Marstrand and Smögen during the summer months.

Deutschen und Dänen bevölkert, die hier ihr Sommerparadies gefunden haben. In beliebten Häfen wie Marstrand und Smögen ist das Gedränge an den Brücken und Anlegeplätzen groß. Bohuslän ist im Sommer ein wahres Eldorado für Segler, Sportangler und Badegäste.

Pendant l'été, la côte ouest est envahie par des suédois en vacances, des norvégiens, des allemands et des danois qui font du bâteau et qui ont trouvé leur paradis de vacances ici. Bohuslän est pendant l'été l'eldorado des navigateurs, pêcheurs et baigneurs.

Med buss genom Sverige

By coach through Sweden / Mit dem Bus durch Schweden / En autocar à travers la Suède

ETT SVERIGEBESÖK KAN planeras och genomföras på många sätt. Tåg, buss, bil eller flyg. Cykel om man har gott om tid och spänst. Personligen har jag och min hustru Ingrid prövat samtliga färdsätt med klar övervikt för bil. En ny upplevelse gjorde vi med buss. Vi steg på en grön turistbuss på torget i Hammenhög på Österlen i Skåne och reste sedan i tio dagar genom hela Sverige upp till Riksgränsen i Lappland.

Stopp nummer ett gjorde vi i Småland och lunchade nära slottsruinen Brahehus norr om Jönköping. Första natten tillbringade vi i Stockholm. Tidigt följande morgon rullade vi i väg norrut, passerade Uppsala och såg Carl von Linnés sommarresidens Hammarby på håll. Städerna Gävle och Hudiksvall fick snabba besök, industristaden Sundsvall fick extra uppmärksamhet och andra kvällen tillbringade

A TRIP TO SWEDEN CAN be planned and realised in many ways; by train, bus, car or plane, or a cycle if one has plenty of time and energy. Personally, my wife Ingrid and I have tested all means of travel but with a clear predominance for the car. We met with a new experience when we travelled by coach. At the square in Hammenhög in Österlen, Scania, we boarded a green touring coach and then travelled for ten days through the whole of Sweden up to Riksgränsen in Lapland.

We made our first stop in Småland and ate lunch close to the ruined castle of Brahehus, north of Jönköping. We spent our first night in Stockholm. Early the next morning we headed northwards, passed Uppsala and saw, at a distance, Hammarby, the summer residence of Carl von Linné. Quick visits were paid to

EIN SCHWEDENBESUCH kann auf vielfältige Weise vorbereitet und durchgeführt werden. Man fährt Zug, Bus, Auto oder fliegt. Hat man viel Zeit und gute Kondition, ist auch das Fahrrad hervorragend als Fortbewegungsmittel geeignet. Persönlich haben meine Frau Ingrid und ich sämtliche Reisevarianten ausprobiert. Besonders oft waren wir mit dem Auto unterwegs. Zu einer neuen Erfahrung verhalf uns der Bus. Auf dem Marktplatz von Hammenhög im südschwedischen Österlen bestiegen wir einen grünen Touristenbus und reisten dann zehn Tage lang durch ganz Schweden bis hinauf zur Reichsgrenze in Lappland.

Unsere erste Pause machten wir in Småland, in der Nähe der Schlossruine Brahehus nördlich von Jönköping. Die erste Nacht verbrachten wir in Stockholm, bevor wir am nächsten Morgen

IL EST POSSIBLE DE prévoir et de faire un voyage en Suède de différentes moyens: le train, l'autocar, la voiture ou l'avion; le vélo si lon a beaucoup de temps et une bonne forme physique. Personnellement ma femme Ingrid et moi-même avons testé tous les moyens de transport principalement en voiture. En prenant le car, nous avons fait une expérience inédite. Nous sommes montés dans un autocar vert sur la place à Hammenhög en Österlen en Skåne et avons ensuite voyagé pendant dix jours à travers toute la Suède jusqu'à Riksgränsen en Laponie.

Nous avons fait une première halte en Småland et dejeuné près de la ruine Brahehus au nord de Jönköping. La première nuit, nous avons fait halte à Stockholm. Le lendemain, de bonne heure, nous sommes partis vers le nord par Uppsala où nous avons vu à

in Richtung Norden aufbrachen. Wir passierten Uppsala und sahen von weitem Carl von Linnés Sommerresidenz *Hammarby*. Gävle und Hudiksvall statteten wir einen Kurzbesuch ab, während die Industriestadt Sundsvall größere Aufmerksamkeit erhielt. Am zweiten Abend befanden wir uns in Örnsköldsvik, wo wir die Sonne hinter den Bergen im Westen untergehen sahen. Am Tag darauf passierten wir die Universitätsstadt Umeå und setzten unsere Reise zum alten

distance la résidence d'été de Carl von Linné, *Hammarby*. Après deux visites rapides des villes Gävle et Hudiksvall et un peu plus d'attention pour la ville industrielle Sundsvall, nous avons passé notre deuxième soirée à Örnsköldsvik où nous avons vu le soleil disparaître derrière les montagnes de l'ouest. Ici nous avons déjà pu ressentir l'influence remarquable du soleil de minuit sur la lumière ambiante. Nous avons dépassé la ville universitaire d'Umeå et continué

UTSIKTEN ÖVER VÄTTERLANDSKAPET *vid Brahehus. I Småland lockar många glashyttor.* ***VIEW ACROSS VÄTTERN*** *at Brahehus. Glass works in Småland attract.* ***BLICK AUF DIE LANDSCHAFT*** *am Vättern bei Brahehus. In Småland locken viele Glasbläsereien.* ***LA VUE SUR VÄTTERN*** *près de Brahehus. En Småland il y a des verreries de grand interêt.*

vi i Örnsköldsvik där vi såg solen försvinna bakom bergen i väster. Redan här anade vi midnattssolens märkliga påverkan på dygnsljuset. Vi passerade universitetsstaden Umeå och fortsatte till Ratans gamla slagfält där ryska trupper drog fram 1809. På klippor i den lilla hamnen studerade vi det märkliga fenomenet landhöjning, bortåt en meter på hundra år, dokumenterat med huggmärken i klipporna.

I Skellefteå stötte vi på resans första kyrkstad, Bondstan, en

the towns of Gävle and Hudiksvall; the industrial town of Sundsvall received extra attention and the second night was spent in Örnsköldsvik where we saw the sun disappear behind the mountains in the west. It was here that we got our first inkling of the midnight sun's remarkable effect on the light of day. We passed the university town Umeå and continued on to Ratan's ancient battlefield where Russian troops advanced in 1809. We studied the remarkable land elevation

Schlachtfeld von Ratan fort. An den Felsen des kleinen Hafens studierten wir das Phänomen der Landhebung – dokumentiert durch Markierungen im Fels.

In Skellefteå stießen wir auf Bondstan, die erste Kirchstadt unserer Reise, eine bezaubernde Ansammlung alter Holzhäuser, die bis heute an großen kirchlichen Feiertagen der Übernachtung dienen. Danach brachte uns der Bus an den sonnenüberfluteten Meeresstrand von Piteå havsbad. Im Anschluss an das

jusqu'au vieux champ de bataille de Ratan où des troupes russes ont défilé en 1809. Sur les rochers du petit port nous avons étudié le phénomène curieux de soulèvement de la terre qui se traduit à peu près par une hauteur d'un mètre en cent ans. Il est matérialisé par des encoches dans les rochers.

A Skellefteå nous avons trouvé la première kyrkstad –"ville-église" – *Bondstan*, un ensemble de vieilles maisons en bois qui étaient et qui sont toujours utilisées au

charmig anhopning gamla trähus som användes och fortfarande används vid stora kyrkhelger. Därefter förde bussen oss till den soldränkta stranden vid Piteå havsbad. Middag i Haparandas stora hotellmatsal och kvällsutflykt över bron till finska Torneå. Följande dag blev vi betagna av Tornedalens grönska, där odlare utnyttjar det eviga ljuset till att producera gurkor och tomater.

I Pajala smakade vi på förädlad sik och såg Lappmarksaposteln Lars Levi Laestadius grav. Nattkvarteret i malmstaden Kiruna kändes som en belöning efter ändlösa mil på vägar kantade av ödemarker. Tro inte att det

phenomenon on the rocks in the small harbour; almost a metre per century, substantiated by marks chiselled into the rocks.

In Skellefteå we came across Bondstan, the first church town of the trip, a charming collection of old timber houses that were used and are still used at major religious holidays. The coach then took us to the sun-drenched beach at Piteå, a seaside resort, to Haparanda's large hotel dining room and to an evening trip across the bridge to Finnish Torneå. The following day we were charmed by the greenery of Tornedalen, where growers make use of the eternal light to produce cucumbers and tomatoes.

Abendessen im großen Speisesaal des Hotels in Haparanda folgte ein abendlicher Ausflug über die Grenzbrücke ins finnische Torneå. Am darauf folgenden Tag ließen wir uns vom Grün Tornedalens beeindrucken.

In Pajala aßen wir veredelte Maräne und besuchten das Grab des „Apostels der Sami" Lars Levi Laestadius. Das Nachtquartier in der Eisenerzstadt Kiruna empfanden wir nach endlosen Stunden quer durch die Wildnis als Belohnung.

ZUR REICHSGRENZE

Am nächsten Tag brachte uns der Bus zur Reichsgrenze. Der Weg dorthin führte an Abisko

cours des grandes fêtes religieuses. Le car nous a ensuite emmenés vers la plage de Piteå, baignée de soleil. Diner dans la grande salle à manger de l'hôtel de Haparanda et excursion le soir pardessus le pont qui mène à Torneå en Finlande. Le jour suivant, nous avons été charmés par la verdure de Tornedalen où des cultivateurs tirent profit de la lumière éternelle pour produire concombres et tomates.

A Pajala, nous avons goûté du lavaret transformé et vu la tombe de Lars Levi Laestadius, apôtre de la Laponie. La chambre que nous avons eu pour la nuit à Kiruna, ville minière, nous est apparue comme une récompense

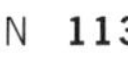

***SKELLEFTEÅS VÄLBEVARADE KYRKSTAD** och odlingsundret i Tornedalen. **SKELLEFTEÅ'S WELL-PRESERVED CHURCH TOWN** and the wonders of cultivation in Tornedalen. **DIE GUT ERHALTENE KIRCHSTADT** Skellefteås, Anbauwunder in Tornedalen. **LA VILLE-ÉGLISE** bien conservée de Skellefteå et les cultures miraculeuses dans Tornedalen.*

råder frid överallt! Kiruna centrum dånade av rockmusik och karusellgnissel, årets marknad hade fångat malmstaden i ett järngrepp.

MOT RIKSGRÄNSEN

Nästa dags slinga gick till Riksgränsen via Abisko och Sveriges mest fotograferade naturmotiv – Lapporten. Här brusar bäckarna och på fjällsluttningarna lyser snöfläckarna svalkande vita. Få vägar i Sverige kan tävla med denna sträcka i dramatik. På ena sidan innanhavet Torne träsk, på andra sidan mäktiga fjällmassiv. Blomsterprakten i Abiskodalen finns inom nära räckhåll.

Via inlandsvägar går turen

We tasted farmed whitefish in Pajala and saw the grave of Lapland's apostle Lars Levi Laestadius. Our night-quarters in the iron ore town of Kiruna seemed like a reward after countless kilometres on roads bordered by wilderness

TOWARDS RIKSGRÄNSEN

Next day's journey went to Riksgränsen via Abisko and to Sweden's most frequently photographed nature motif – Lapporten. The brooks thunder and flecks of snow shine refreshingly white against the slopes of the fells. There are few roads in Sweden that can compete. One does not need to take many

und Schwedens meistfotografiertem Naturmotiv vorbei – Lapporten, das Tor Lapplands. Nur wenige Straßen Schwedens können es mit dieser Strecke an Dramatik aufnehmen. Auf der einen Seite das Binnenmeer Torne träsk, mächtige Gebirgsmassive auf der anderen. Man braucht sich nur wenige Schritte vom Bus zu entfernen, um die seltene Blumenpracht des Abiskotals zu erleben.

Über die Inlandwege ging die Reise wieder Richtung Süden. Vilhelmina, Dorotea, Jokkmokk, Arvidsjaur, Arjeplog – Namen, die nach Lappland klingen. Die ersten Rentierherden blockierten die Straße. In einem Lager der

après des dizaines de kilomètres à travers la nature sauvage.

VERS RIKSGRÄNSEN

Le trajet du lendemain allait à Riksgränsen par Abisko et le site naturel le plus photographié du monde – Lapporten. Ici, les ruisseaux murmurent et les plaques de neige sur les pentes des montagnes sont d'une blancheur rafraîchissante. Il y a peu de routes en Suède qui soient aussi fascinantes. D'un côté, vous avez la mer intérieure Torne träsk et de l'autre côté, des montagnes imposantes. Il n'est pas nécessaire de s'éloigner beaucoup du car pour apprécier la flore extraordinaire de la vallée d'Abisko.

***SVERIGES MAGNIFIKASTE** och mest fotograferade utsikt är Lapporten nära Abisko och Riksgränsen. Här finns upplevelser för alla naturvänner. **SWEDEN'S MOST MAGNIFICENT** and most photographed view is Lapporten near Abisko and Riksgränsen. There is much here for nature lovers. **LAPPORTEN NAHE ABISKO** und der Reichsgrenze ist Schwedens wunderschönstes und meistfotografiertes Motiv. Hier kommen alle Naturfreunde auf ihre Kosten. **LE SITE LE PLUS PHOTOGRAPHIÉ** en Suède est Lapporten, près d'Abisko et Riksgränsen. Une révélation pour tous les amoureux de la nature.*

SVERIGE ÄR RIKT *på sevärdheter och attraktioner, även i det lilla formatet som t ex sameslöjden från Tärnaby.* ***SWEDEN IS RICH*** *in sights and attractions even on a small scale, for example Lapp handicraft from Tärnaby.* ***SCHWEDEN IST REICH*** *an großen und kleinen Sehenswürdigkeiten, hier: samisches Kunsthandwerk aus Tärnaby.* ***LA SUÈDE EST RICHE*** *en attractions touristiques: il ne faut pas oublier l'artisanat lapon de Tärnaby.*

mot söder. Vilhelmina, Dorotea, Jokkmokk, Arvidsjaur, Arjeplog – namn med klang av lappmark. De första renhjordarna blockerar vägen. I ett lappläger bjuds vi på kaffe i rökfylld kåta och – mygg!

Östersunds stadsmiljö för oss tillbaka till normalsvenskt liv. På Frösön njuter vi Wilhelm Peterson-Bergers klanger i hemmet *Sommarhagen*. Jämtland och Hälsingland tjusar oss genom bussrutan. De stora timrade bondgårdarna visar att här fanns människor som kunde konsten att smycka sin tillvaro.

I Dalametropolen Mora förstärktes detta intryck. Konstnären Anders Zorns yppiga kullor begrundade vi på konstnärens eget museum. I närbelägna Vasaloppsmuséet tittade vi på

steps away from the coach to enjoy the outstanding floral splendour of the Abisko valley.

We head south on our journey via the inland roads. Vilhelmina, Dorotea, Jokkmokk, Arvidsjaur, Arjeplog – names with a ring of Lapland. The first reindeer herds block the road. In a Lapp camp, in a smoke-filled tent, we are invited to coffee and – mosquitoes!

Östersund's town environment brings us back to normal Swedish life. We enjoy the tones of Wilhelm Person-Berger in the house *Sommarhagen* on Frösön. Through the coach window Jämtland and Hälsingland delight us.

In Mora, the Dalecarlia metropolis, we studied the artist Anders Zorn's fulsome Dalecarlian women at the artist's own

Sami gab es Kaffee in einer rauch-erfüllten Kote, dem Zelt der Sami – und Mücken!

Nach dem städtischen Treiben in Östersund lauschten wir auf der Insel Frösön den Klängen Wilhelm Peterson-Bergers in dessen Haus *Sommarhagen*. Jämtland und Hälsingland verzauberten uns durch die Fensterscheiben des Busses. Die großen gezimmerten Bauernhöfe zeigten, dass es hier Menschen gab, die die Kunst verstanden, ihr Leben zu verschönern.

In Mora, der Metropole der Provinz Dalarna, wurde dies noch deutlicher. Über die üppigen Dala-Frauen des Malers Anders Zorn sannen wir im Museum des Künstlers nach und besuchten das nur wenige Schritte entfernte Vasalaufmuseum. Nach einer

La route continue vers le sud par des routes intérieures. Vilhelmina, Dorotea, Jokkmokk, Arvisjaur, Arjeplog – des noms qui ont une résonance laponne. Les premiers troupeaux de rennes bloquent la route. Dans un campement lapon, on nous offre le café dans une tente laponne – kåta – pleine de fumée et de moustiques!

Le milieu urbain de Östersund nous ramène à la vie suédoise habituelle. Sur Frösön, nous apprécions la musique de Wilhelm Peterson-Berger dans sa maison *Sommarhagen*. Jämtland et Hälsingland nous séduisent à travers les vitres du car. Les grandes fermes en bois nous montrent qu'ici les gens savaient embellir leur existence.

Dans le métropole de Dale-

utrustningar som skidande kraftkarlar nyttjat på de nio milen från Sälen till målet vid Gustav Vasastatyn i Mora. Efter en blixtvisit i dalahästarnas födelseplats i Nusnäs med de flinka träsnidarna, flög de sista mellansvenska milen förbi med långa stunder genom skogarna. Men så består Sverige av 26,6 miljoner hektar skogsmarksareal, 65 procent av landets yta.

Staden Örebro med imponerande slott i centrum fick en snabb visit, likaså den märkliga träkyrkan i Habo, fylld av bilder

museum. At the neighbouring Vasa ski race museum we looked at the equipment that strong skiers used on their ninety-kilometre run from Sälen to the finishing post at Gustav Vasa's statue in Mora.

A quick visit was paid to the town of Örebro, with its impressive castle in the centre, and to the remarkable wooden church in Habo, filled with pictures of angels and devils. The green tourist coach came to a halt at Hammenhög's square, exactly where the journey started.

Blitzvisite im Geburtsort der Dalapferde, dem Dorf Nusnäs mit seinen flinken Holzschnitzern, vergingen die letzen Kilometer durch Mittelschweden wie im Fluge. Wir durchquerten dabei große Waldgebiete, was nicht verwunderlich ist, besitzt Schweden doch 26,6 Mio. Hektar Wald, was etwa 65% des schwedischen Territoriums entspricht.

In der Stadt Örebro mit ihrem imposanten Schloss im Zentrum legten wir einen kurzen Zwischenstopp ein, ebenso an der interessanten Holzkirche in

carlie cette impression s'est renforcée. Nous avons admiré les femmes opulentes sur les tableaux de l'artiste Anders Zorn dans le musée qui porte son nom. Dans le musée de Vasaloppet, tout proche, nous avons regardé les équipements que des athlètes à ski ont utilisé sur les quatre-vingt-dix kilomètres qui vont de Sälen à l'arrivée près de la statue de Gustave Vasa à Mora. Après une visite-éclair au lieu de naissance des petits chevaux en bois de Dalecarlie, à Nusnas avec ses sculpteurs de bois habiles, nous

ST HERRESTADS KYRKA nära Ystad. Överallt något att se och uppleva. ***ST HERRESTAD'S CHURCH*** *near Ystad. Everywhere there are things to see and do.* ***DIE KIRCHE ST. HERRESTAD*** *bei Ystad. Überall gibt es etwas zu sehen und zu erleben.* ***L'ÉGLISE DE ST HERRESTAD*** *près d'Ystad. Partout des choses à voir et à vivre.*

på såväl änglar som djävlar. Den gröna turistbussen stannade på Hammenhögs torg, precis där resan började.

Denna resa med sjumilaklivsfart varade i tio dagar och gav ett bestående och samlat intryck av ett vackert, annorlunda och spännande Sverige.

This journey that was undertaken at the speed of lightening, took ten days and left a lasting and significant impression of a beautiful, different and exciting Sweden.

Habo voller Bilder von Engeln und Teufeln. Der grüne Touristenbus hielt wieder auf dem Marktplatz in Hammenhög, genau dort, wo unser Abenteuer begonnen hatte.

Diese Reise mit Siebenmeilenstiefeln durch Schweden dauerte zehn Tage und vermittelte in konzentrierter Form einen bleibenden Eindruck eines schönen, anderen und spannenden Landes Schweden.

avons rapidement parcouru, les dernières centaines de kilomètres au milieu de la Suède. La Suède possède 26,6 millions de hectares de terrains boisés, 65 pourcent de la surface du pays.

La ville de Örebro, avec au centre son château imposant, a eu une visite rapide tout comme la curieuse église en bois à Habo remplie d'anges aussi bien que de diables. L'autocar vert des touristes s'est arrêté sur la place de Hammenhög, exactement là où le voyage avait commençé.

FOTO
Hans Hammarskiöld/Vasamuseet s. 61 (Regalskeppet Vasa)
Janne Hansson s. 38, 39
Nationalmuseum Stockholm s. 11 (Anders Zorn), 37 (Carl Larsson)
Johan Kjellström/Scanpix s. 75 (Pippi Långstrump)
Ewa Rudling/Scanpix s. 75 (Astrid Lindgren)
Fredrik Sandberg/Scanpix s. 76–77
Scanpix Danmark s. 75 (ABBA)
Scanpix s. 74 (Greta Garbo), 75 (Ingrid Bergman och Raoul Wallenberg)
Jan Strömsten/Scanpix s. 70 (t.h.)
Örjan Söderlund/Scanpix s. 75 (Roxette)
Anders Wiklund/Scanpix s. 68 (Kungafamiljen), 74 (Ingmar Bergman)
Mats Åstrand/Scanpix s. 70 (t.v.)

Bobby Andström, övriga bilder och omslagsfoto